D0620587

L'HÉRITAGE D'ANOUCHKA

Cet ouvrage est déjà paru aux éditions Nathan
sous le titre *L'incroyable retour*.

Loi n°49-956 du 16 juillet 1949 sur les publications destinées à la jeunesse,
modifiée par la loi n°2011-525 du 17 mai 2011.

ISBN 978-2-09-254628-4

L'HÉRITAGE D'ANOUCHKA

Évelyne Brisou-Pellen

Illustrations de Miles Hyman

CHAPITRE I
Une ferme dans la neige

– Sophia, dit l'homme en noir, ta mère est morte. Il n'y a plus rien à faire.

Regardant droit devant elle, la fille serra ses mains entre ses genoux. Elle ne bougea pas de sa chaise.

– Je ne m'appelle pas Sophia, lâcha-t-elle enfin.

L'homme eut un mouvement de sourcils, pour signifier l'étonnement.

– Ne dis pas de sottises, se récria-t-il. Tu es Sophia, tu es la fille d'Olga ! D'ailleurs tu lui ressembles.

– Vous n'en savez rien, vous ne connaissiez pas Olga.

– Mais que racontes-tu ? Je suis Léopold, son frère. Je connaissais bien Olga, mieux que quiconque, et quand elle avait ton âge, c'était ton portrait craché.

– On ne doit pas cracher, dit la fille sans hausser le ton.

Désemparé l'homme demeura un moment immobile, comme s'il cherchait ce qu'il devait faire, puis il poussa un soupir et quitta la misérable pièce d'un pas fatigué.

Le médecin était encore là, dehors, à s'affairer autour de son cabriolet. Le ciel s'était éclairci, et le reflet du soleil sur la neige brûlait les yeux. L'homme s'approcha du cheval dont le noir luisant se détachait sur la blancheur des collines et, enfonçant ses poings dans ses poches, il observa :

– Elle est bizarre, non ?

– Qui donc ? demanda le médecin, surpris.

– La petite fille, là…

– Ah… Je ne sais pas, je ne la connais pas.

– Vous n'étiez pas leur médecin ?

– Leur médecin ?

Le docteur secoua la tête d'un air désabusé. Il donna deux petits coups amicaux sur l'encolure du cheval, avant de finir :

– Les pauvres, voyez-vous, ça n'a pas de médecin… Ne croyez pas que je refuse de les soigner s'ils ne peuvent pas me payer ! Non, c'est juste qu'ils ont leur fierté : s'ils ne peuvent rien me donner, ils ne me demandent pas de venir.

L'homme ne posa aucune autre question. Il lui paraissait inutile d'informer un étranger de ses difficultés. Il soupira. Déjà, il était suffisamment ennuyé de devoir s'occuper de la gamine, mais si, en plus elle n'y mettait pas du sien, il avait bien envie de tout laisser tomber. Il n'était pas un saint-bernard, après tout ! Elle ne s'appelait pas Sophia... Et puis quoi encore ?

Oh ! quel ennui, quel ennui ! Il n'avait vraiment pas besoin de cela !

– M'aideriez-vous à mettre ma sœur dans le cercueil ? demanda-t-il au docteur. Je ne peux tout de même pas exiger ça de la petite.

– Bien sûr. Bien sûr. Je ne savais pas que vous aviez déjà apporté le cercueil.

– Il est dans ma charrette.

L'homme songea un instant que cette carriole lui servait d'ordinaire à transporter la paille des chiens, ce qui lui fit penser à ses chiens, puis de nouveau à ses ennuis. Non vraiment, il n'avait pas besoin de cela !

Il accompagna le médecin jusqu'à la charrette et ils firent tous deux glisser le cercueil vers eux, avant de le saisir par les poignées dorées (il n'avait pas voulu lésiner sur la qualité du bois ni du métal). Ils l'emportèrent vers la maison.

Tout le temps que dura le transfert du corps, la fille

ne fit pas un mouvement, elle ne regardait même pas. Elle fixait le sol, c'est tout. L'homme supposa que c'était le contrecoup d'un trop grand chagrin, qui ne pouvait s'exprimer, mais quand enfin il parvint à croiser son regard, il n'y lut aucune peine et ne sut plus que penser. Quelle drôle d'enfant !

Apparemment, le médecin venait de se faire la même réflexion, car il tourna la tête vers la fille pour la considérer brièvement puis, sitôt le cercueil de nouveau dans la charrette, il s'approcha d'elle.

– Quel âge as-tu ?

Elle fit une petite grimace excédée, comme si la question lui paraissait sans intérêt. Embarrassé, le médecin chercha un instant les mots qu'il aurait voulu dire, sans arriver à les trouver. C'était idiot, cette gamine l'impressionnait.

– Tu comprends, déclara-t-il enfin, bien que je ne sois pas responsable de toi, je ne peux pas te laisser partir avec n'importe qui. Cet homme, là, il ne semble pas te connaître… Il est réellement ton oncle ?

La fille hocha la tête. Oui, c'était bien son oncle.

Bon, dans ce cas… Le médecin jugea qu'il en avait assez fait. Il essuya ses mains dans un grand mouchoir à carreaux, jeta un dernier regard à la fille et s'éloigna vers son cabriolet.

En montant sur le marchepied, il songea que vraiment, dans son métier, on voyait de tout… Et aussi qu'il avait bien eu raison de conserver son cabriolet plutôt que d'acheter une automobile, comme c'était la mode : jamais il n'aurait réussi à passer dans ces chemins enneigés avec une automobile ! Comment pouvait-on vivre aussi loin du monde ? Il saisit les rênes et toucha l'arrière-train de son cheval du bout de son fouet.

– On y va.

Tournant une dernière fois la tête vers le bâtiment de ferme, qui n'avait plus de ferme que le nom – puisqu'on n'y voyait ni animal ni le moindre outil – il fut de nouveau saisi d'un doute.

Bah ! De toute façon, une femme seule avec une petite d'une dizaine d'années…

Dix ? onze ? douze ? La fille était menue, mais sans doute pas si jeune qu'elle le paraissait, car il y avait dans ses yeux une grande maturité. Et puis quelle importance, son âge !

Tout de même, à propos de cette femme, de cette fillette seules dans la campagne… Il avait été tout à l'heure frappé par quelque chose… Malheureusement, il n'arrivait plus à se rappeler quoi.

– Je vais te ramener chez moi, que faire d'autre ?

expliqua l'homme à la petite assise près de lui sur le banc du conducteur.

Comme elle ne répondait pas, il insista :

– Tu n'as pas d'autre famille ?

Elle fit non de la tête.

– Bien.

Le ton de l'homme ne concordait pas avec ce qu'il y avait de positif dans ses paroles.

– C'est vrai, reprit-il, cela fait au moins huit ou dix ans que je n'étais pas venu ici et que je n'avais pas vu ma sœur. La dernière fois, tu étais bébé. Je suis ton oncle Léopold. C'est ainsi que tu dois m'appeler.

Le gros cheval à la queue tressée s'ébranla lourdement. La neige crissait sous les roues. L'homme semblait fixer le lointain, le chemin blanc entaillé des seules traces du cabriolet du médecin, mais ses yeux restaient vagues et son visage préoccupé. Il ne dit plus rien.

Soudain, son œil fut distrait par une forme sombre, sur le bord du chemin. Il se redressa pour mieux distinguer la silhouette. C'était une personne, un homme, qui tapait des pieds pour se réchauffer. Il ne le quitta pas des yeux tandis qu'ils se rapprochaient.

Il s'agissait d'un jeune homme – guère plus de dix-huit ans, visage plutôt sympathique et cheveux d'un blond-roux remarquable.

– Oh ! cria enfin celui-ci en agitant le bras, vous pouvez m'emmener ?

Léopold arrêta la charrette.

– Il n'y a de place que derrière, prévint-il, et la compagnie n'est pas réjouissante.

– Ça m'est égal, lança le jeune homme d'un ton gai. La vie et la mort s'entremêlent à chaque instant, il faut s'y habituer…

– Où allez-vous ?

– À la ville.

– Alors montez si vous y tenez.

Au moment où le jeune homme passait près de lui pour gagner l'arrière, Léopold remarqua qu'il portait à la mâchoire une petite cicatrice qui avait pris, avec le froid, une teinte violacée.

– Dans quel coin de la ville voudriez-vous que je vous dépose ? demanda-t-il.

– Ma foi, là où vous allez vous-même. Inutile de vous dérouter. Je me débrouillerai… Vous avez une fille bien mignonne.

La fille fronça les sourcils.

– Bonjour, mademoiselle, insista le jeune homme sans se démonter. Moi, c'est Pierre. Et vous ?… Êtes-vous muette ?

– Elle n'est pas muette, intervint l'oncle, mais guère

causante. Elle s'appelle Sophia, bien qu'elle ait décidé de prétendre que non.

– Sophia, c'est un joli nom, décréta le jeune homme, et il vous va comme un gant. Je suis sûr que c'est bien le vôtre. Il n'y a aucun doute, vous vous appelez Sophia. … Oh ! m'entendez-vous, Sophia ?

– Je vous entends, il est inutile de crier. Ce n'est pas parce qu'on crie qu'on a raison.

– Dites donc, vous me paraissez avoir un sacré caractère. Vous me rappelez ma sœur. Une tête de bourrique. Mais je l'aime quand même, rassurez-vous.

Le jeune homme passa la main dans la mèche couleur feu qui lui tombait sur le front et, la ramenant en arrière, ajouta d'un ton plus doux :

– Je n'ai qu'elle, et elle n'a que moi.

– Vos parents sont morts ? s'informa l'oncle Léopold.

– Oui. J'aurais bien voulu garder ma petite sœur avec moi, mais je n'ai que dix-huit ans et pas de travail, alors comment faire ?

– Où se trouve-t-elle ?

– Je l'ai confiée à des voisins. Je reviendrai la chercher quand j'aurai trouvé le moyen de vivre.

– Trouver du travail… pas facile, depuis la guerre.

– Non. Mais je vais essayer de me procurer de quoi

me payer le passage pour les États-Unis. Là-bas, du travail, il y en a, et on peut même faire fortune !

Léopold ne fit aucune observation, mais sa passagère tourna légèrement la tête pour considérer un instant l'étranger. Néanmoins, elle n'ouvrit pas la bouche. Lui, par contre, reprit :

– … Ou plutôt de quoi payer deux passages pour les États-Unis, parce que je ne me vois pas partir sans ma sœur. Je lui ai promis de l'emmener et, les promesses, je les tiens toujours. Ça, elle peut me faire confiance, je ne la laisserai pas. Je n'ai qu'elle et elle n'a que moi, vous comprenez ?

– Il est important de tenir ses promesses, remarqua Sophia d'une voix sourde. La parole, c'est la confiance, et la confiance, c'est la seule chose qui nous permette de vivre.

Léopold se sentit inquiet. Cette petite prononçait toujours des phrases qui allaient beaucoup plus loin que les mots qui la composaient.

Le médecin ne remarqua même pas que son cheval avait ralenti l'allure. Il était en train de songer… Oui, bien sûr, ce qui l'avait frappé, c'était les yeux de la femme. Il aurait peut-être dû s'attarder davantage sur les raisons de la mort. Crise cardiaque, il n'y avait pas à en douter… Crise cardiaque, oui, mais dans les yeux grands ouverts, il y avait une sorte de frayeur, peut-être même de la terreur.

C'était ça : de la terreur.

Il aurait dû interroger la petite. Avait-elle assisté à la mort ? Que s'était-il passé au juste ?

Crise cardiaque ne constituait peut-être qu'une partie de la réponse. De quoi était réellement morte cette femme. De peur ?

CHAPITRE II

Des soucis

– Voici donc Sophia !

La nouvelle venue ne protesta pas. La grosse personne qui se tenait devant elle, bajoues impressionnantes, grande robe sombre et corsage à jabot blanc bouffant de mille volants, lui faisait plutôt bonne impression. Ainsi, c'était là sa tante Élisabeth…

Elle l'observa sans un mot.

– Elle n'est pas très causante, crut bon d'expliquer l'oncle Léopold.

– Rien d'étonnant à cela, commenta tante Élisabeth, elle vient juste de perdre sa mère.

La jeune fille considéra la tante du coin de l'œil en se retenant de hausser les épaules. Sophia, elle était Sophia, il fallait qu'elle s'en souvienne.

La femme approcha sa main grassouillette pour lui caresser la joue, ce qui provoqua chez elle un recul involontaire.

– Tu es une petite chatte sauvage, remarqua la tante sans paraître s'offusquer.

– Et maigre comme une chatte sauvage, ajouta l'oncle.

La tante eut un petit rire.

– Ne connais-tu pas l'histoire de l'éléphant et de la souris ? demanda-t-elle à Sophia… Non ?… Une souris rencontra un éléphant dans la forêt et, prise de peur, elle s'exclama : « Mon Dieu, que tu es gros ! » L'éléphant, surpris, ne sut que répondre. Le lendemain, la souris rencontra de nouveau l'éléphant. « Mon Dieu, que tu es gros ! » s'écria-t-elle. Et l'éléphant commença à se sentir froissé. Le troisième jour, la souris ne put se retenir de sursauter et, portant la patte à son cœur, elle soupira : « Mon Dieu, que tu es gros ! » Et l'énorme bête s'en alla franchement vexée. Le quatrième jour, l'éléphant n'attendit pas la réflexion désobligeante de la souris ; dès qu'il l'aperçut, il lança de sa grosse voix : « Mon Dieu, que tu es petite ! » « Petite, oui, répliqua la souris, mais moi j'ai été malade. »

La tante se mit à rire gaiement, bien que son histoire

ne semblât guère avoir de succès auprès de cette étrange fillette qui restait de marbre. Élisabeth avait toujours cru que les enfants aimaient rire. Pas celle-ci, semblait-il. Le sérieux de son visage était impressionnant.

Un peu troublée, elle proposa :

– Je vais te présenter la maison.

Elle fit quelques pas en reculant.

– Ici, c'est l'entrée, évidemment, et sur ta gauche, la cuisine. Sur ta droite, le salon, continua-t-elle en la faisant pénétrer dans la pièce.

Celle-ci était vaste et bien chauffée par un poêle à bois et une cheminée pleine de douce lumière, devant laquelle dormait un chien immense.

Sophia analysa rapidement tout ce qu'elle voyait, des meubles brillants et compliqués, des tapis étranges, dans les tons rouges, mais elle ne fit aucune remarque. Puis ses yeux s'arrêtèrent sur le chien : jamais elle n'en avait vu de pareil. Elle recula un peu. *Là-bas*, les chiens étaient aussi très grands (pas autant toutefois), plus trapus, toujours sur le qui-vive, et ils ne savaient que montrer les dents.

– N'aie pas peur, rassura tante Élisabeth, c'est Nini. Tu n'as rien à craindre d'elle, elle est même trop vieille pour jouer avec toi. Elle dort toute la journée. Approche-toi.

– Vous ne m'obligerez pas, dit Sophia en résistant à la main qui la poussait en avant.

Tante Élisabeth eut un mouvement de surprise :

– Mon Dieu, ma petite fille, pour qui nous prends-tu ? Personne ici ne te veut de mal.

Sophia griffa de ses doigts sa vieille robe doublée de laine. Elle était dans un autre monde, un autre monde !… Et cette femme semblait douce et gentille.

Elle tenta de respirer.

– C'est… qu'elle est si imposante…

– Normal, répliqua l'homme, c'est un lévrier barzoï. Soixante-dix centimètres au garrot[1], quarante kilos de muscles. Et encore, c'est une femelle, les mâles sont plus grands et plus costauds. Tu n'en avais jamais vu ?

Sophia faillit répondre que cela ne le regardait pas. Elle se raisonna et souffla d'une voix sans timbre :

– Je ne connais que des bergers allemands.

– Les lévriers barzoïs ne sont pas des chiens de garde comme les bergers allemands, mais des chiens de chasse, spécialistes de la chasse au loup. Malheureusement, il n'y a plus guère de loups.

---

1. Au-dessus de l'épaule. On mesure les animaux depuis le garrot jusqu'au sol.

Sophia ne perçut pas ce qu'il y avait de « malheureux » dans cette affaire.

– Autrefois, continua l'oncle, nous avions un élevage magnifique, neuf bâtiments en pierre, avec douze chiens dans chacun. On venait de l'Europe entière pour nous en acheter. Nous avons possédé jusqu'à cent barzoïs et cinquante afghans.

Tournant la tête vers Sophia, il commenta :

– Les lévriers afghans sont plutôt utilisés pour la chasse au gros gibier. Ils sont moins grands, avec des poils très longs et le bout de la queue relevé en crochet. Ils courent aussi un peu moins vite. Maintenant, je n'ai plus que des barzoïs.

Contrairement à ce qu'on aurait pu croire, Léopold Fédine n'était pas très bavard, et même plutôt taciturne, mais s'il était question de chiens, il était capable de parler toute la journée.

– Aujourd'hui, reprit-il avec un soupir, plus rien n'est pareil. Tout ça parce que nous sommes un petit pays, et que nous envahir semble un sport amusant pour nos voisins. Tantôt l'un tantôt l'autre, il y a toujours quelqu'un qui lorgne sur nous. Et naturellement, l'envahisseur croit que tout ce qu'il trouve dans le pays où il arrive lui appartient. Nous avons dû défendre chèrement nos chiens, et même lors des dernières invasions, il y a dix-sept ans, on a réussi à tenir, à tous les garder… Malheureusement, ensuite, il y a eu la deuxième guerre mondiale, et elle a ruiné notre élevage.

Il lança un coup d'œil à la fillette et s'aperçut qu'elle semblait écouter.

– Pourquoi ? poursuivit-il. Pas en volant nos chiens, cette fois : la guerre nous a ruinés parce qu'elle a suspendu les courses de lévriers. Plus de courses, te rends-tu compte ?

– Nous avions de bons éléments, renchérit la tante, des bêtes musclées, rapides, les meilleures ! Nous pouvions vendre très cher chaque chiot de nos lignées.

– Maintenant, expliqua l'oncle, plus de courses, plus de chasse au loup, alors… Néanmoins j'ai encore quelques chiens, au chenil. Ils sont beaux et il y a toujours des amateurs…

Il n'ajouta rien. Il paraissait soudain très soucieux.

– Nous espérons, conclut la tante avec un sourire complice, que les courses vont reprendre.

Sophia contemplait la grande chienne blanc et roux allongée près du feu, ses pattes immenses tendues vers les flammes, comme pour en chauffer les coussinets. Elle fit un pas prudent dans sa direction. La chienne ne leva pas la tête mais tourna les yeux pour l'observer. Sophia n'y lut aucune agressivité, et elle s'y connaissait en regards : elle savait décrypter la peur, la crainte, la colère, la haine. Ici, rien de tout cela. Juste un peu de curiosité. Elle fit encore un pas. Il ne fallait pas fuir devant le danger. Plutôt le mesurer, pour survivre. Un pas. La chienne eut une réaction étrange : elle roula sur le dos.

Sur le dos ! Il ne fallait jamais dormir sur le dos ! Uniquement sur le flanc. Se coucher sur le flanc était la seule position qui assurait une fuite rapide.

– N'aie pas peur, dit tante Élisabeth d'un ton retenu, elle se met sur le dos pour que tu lui caresses le ventre, elle adore ça.

Avec une lenteur circonspecte, Sophia s'accroupit. Elle savait bien apprivoiser la peur. Elle tendit la main et effleura le poitrail du bout des doigts. C'était doux et tiède, les poils semblaient comme de la soie. Elle appuya sa paume et fit glisser doucement sa main jusqu'au ventre, où le pelage clairsemé laissait apparaître une peau presque blanche. Là, c'était plus chaud encore. Sa main s'arrêta. Sur le côté gauche de l'abdomen, elle avait senti un gonflement.

Une tumeur ! songea-t-elle, effrayée, en retirant sa main aussi vivement que si elle s'était brûlée… Si Nini ne bouge plus beaucoup, ce n'est pas parce qu'elle est vieille, c'est parce qu'elle est malade !

Sophia ne savait pas grand-chose des chiens, mais c'était sûrement comme les hommes et les rats. *Là-bas*, elle avait souvent vu sa mère examiner les malades, et les malades, ça ne manquait pas, avec rien que des horreurs d'affections malignes, et puis le scorbut, la tuberculose, la pneumonie, la brucellose…

Elle songea un instant à sa mère, à la tumeur. Ses mains se crispèrent.

– Tu vois, intervint tante Élisabeth sans rien remarquer, elle ne te veut pas de mal.

Nini aussi avait une tumeur, mais Sophia n'en dirait rien. À quoi bon ? Nini était trop âgée pour être opérée.

– Pauvre petite, soupira la tante en nouant son bonnet de nuit sous son gros menton. Elle a dû vivre une drôle de vie avec Olga, pour avoir ce caractère… Remarque, je ne lui crois pas mauvais fond, elle est plutôt comme une biche aux abois.

– Ou comme une lionne à qui on voudrait prendre ses petits. Si tu avais entendu sur quel ton elle m'a parlé quand je suis allé la chercher ! Enfin… nous n'avions vraiment pas besoin de cela.

La tante Élisabeth demeura un instant allongée, les yeux au plafond, avant de chuchoter :

– Moi, cela ne me déplaît pas d'accueillir cette petite à la maison. Elle remplacera les enfants que nous n'avons pas pu avoir.

– Les enfants... ! s'insurgea l'oncle. Tu avais promis de ne jamais plus en dire un mot !

– Excuse-moi, Léopold. Là, ce n'était pas évoqué dans une intention...

– N'en parlons plus. Bon. Cette petite n'a aucune autre famille que nous, il va bien falloir faire avec. Comme si je n'avais pas assez de soucis !

– Ça ne va pas mieux, au chenil ?

– Le gardien dit que Tsar n'est pas bien, et que Tite ne s'est pas levé de la journée. Je ne vois là rien de rassurant. Ils ont les mêmes symptômes que Princesse : fièvre, diarrhée... et je te rappelle que nous avons enterré Princesse la semaine dernière.

– Nous enterrons également ta sœur Olga demain, et cela semble te faire moins de chagrin.

L'homme resta un moment sans rien dire. Finalement il se redressa, ralluma la lampe à pétrole sur sa table de nuit et, s'appuyant plus haut sur son oreiller, il se frotta nerveusement le front.

– C'est vrai, admit-il. Ce qui est cruel, c'est l'absence. Et Olga, je ne ressens pas son absence puisque je ne la voyais jamais... Ah ! si au moins il y avait dans cette maudite ville un vétérinaire digne de ce nom ! Ils s'y connaissent en vaches, oui, et en chèvres. Les lapins et les poules n'ont pas de secret pour eux, mais les chiens... Mon père a eu raison de passer son diplôme de vétérinaire. Je regrette chaque jour de n'en avoir pas fait autant. Aujourd'hui, si nos chiens meurent...

Il poussa un grand soupir avant de finir :

– Ah non ! je n'avais pas besoin d'une bouche de plus à nourrir.

– À ce propos, intervint la femme, je voulais aussi te demander un peu d'argent pour la vêtir. As-tu remarqué son accoutrement ? Elle est habillée comme une mendiante. Ta sœur était donc si pauvre ? La ferme était pourtant d'un bon rapport, autrefois.

– Je n'en sais rien. Olga s'était mise à boire, je ne voulais plus la voir.

– Pourquoi s'est-elle mise à boire ? Il y a bien une raison, non ?

– Pourquoi, pourquoi ! Qu'est-ce que j'en sais, moi ? s'écria Léopold d'un ton véhément.

Puis il éteignit la lampe et se recoucha avec colère en tournant le dos à sa femme.

Élisabeth en demeura toute décontenancée. Léopold savait pourquoi Olga s'était mise à boire, sinon il ne lui aurait pas répondu avec une telle colère.

Elle était mariée avec lui depuis dix ans et elle le connaissait bien. Ce qu'il avait, elle l'ignorait. Des ennuis à cause des chiens, sûrement ; à cause de la mort d'Olga et de l'arrivée de cette petite, sûrement ; mais il n'y avait pas que cela. Non, il n'y avait pas que cela.

CHAPITRE III

La robe de laine

L'oncle Léopold mit son chapeau de feutre et ses gants. Du haut de l'escalier qui desservait les chambres, Sophia l'observait. Son oncle était grand et gros… peut-être pas tellement gros, mais elle n'avait connu que des gens si maigres, avec des pommettes saillantes qui soulignaient le creux des joues…

Les joues de l'oncle étaient rouges. Il était vêtu d'un manteau qu'il nommait « pardessus » et d'un pantalon à rayures tombant droit sur la chaussure. Des chaussures minces, noires, et qui luisaient. Tout semblait étonnant, les vêtements, et surtout les accessoires. Les seuls que Sophia avait connus étaient les moufles, les écharpes et les bonnets de laine pour les grands froids. Et celui qui pouvait s'en procurer remerciait le ciel.

Ensuite, après avoir remercié le ciel, il devait veiller à bien les attacher avec des ficelles, aux poignets ou au cou, même pour dormir, pour ne pas se les faire voler.

Ici, pas de bonnet. L'utilité de ce chapeau arrondi perché sur le haut du crâne, elle ne se l'expliquait pas : il ne devait pas tenir tellement chaud.

Elle jeta un regard méfiant sur la robe de gros tissu bleu marine qu'on lui avait offerte la veille. Elle ne savait qu'en penser ; elle s'y sentait étrangère à elle-même, déguisée et un peu mal à l'aise. Pour tout dire, elle ne la trouvait pas belle, mais toutes les filles qu'elle avait aperçues en portaient de pareilles. Le magasin où sa tante la lui avait achetée en proposait plein d'autres, avec aussi des manteaux, des chemises, des gilets, des foulards… tout prêts à être portés : il suffisait de choisir sa taille.

Bien sûr, on ne choisissait pas exactement sa taille, on prenait une taille au-dessus parce que, disait tante Élisabeth, *il fallait que ça fasse de l'usage et les enfants grandissent*, mais rien de plus. À ce qu'il semblait, on achèterait une autre robe dès que celle-ci serait trop juste.

À quoi pouvait-elle bien ressembler là-dedans ? Depuis qu'Ivan lui avait montré quelques mois auparavant sa propre image dans un miroir, elle se posait sur elle-même des questions qui ne lui seraient pas venues à l'esprit autrefois. Elle ressemblait à sa mère, c'est ce qui l'avait frappée. Sans doute ressemblait-elle aussi à Olga, si elle en croyait la réaction de son oncle. Elle prononça sans bruit : « Irina… Irina. »

– Bien, lança l'oncle je vais y aller.

– Mon Dieu, tu vas au travail dans cette tenue ?

– Mais qui te dit que je me rends au chenil ? Je vais à la banque. Il me reste un peu de valeurs au coffre.

Tandis que la tante Élisabeth essuyait ses grosses mains sur son tablier en se demandant, comme à chaque fois, de quelle nature pouvaient bien être ces valeurs, l'oncle sortit et tira la porte derrière lui.

Sophia se décida alors à descendre l'escalier. Les marches étaient comme les chaussures, sombres et luisantes. Un escalier n'était donc pas forcément en planches délavées ou en métal glacé.

– Ah ! te voilà, ma petite Sophia. Viens prendre ton petit déjeuner.

La tante l'assit devant un bol de lait et des tartines grillées, comme la veille, en conseillant gentiment :

– Mange ! Tu as besoin de te remplumer.

Sophia resta immobile devant son bol, pleine d'appréhension. Pas seulement parce que le lait lui pesait sur l'estomac (elle n'en avait jamais bu de sa vie, sauf sans doute celui de sa mère lorsqu'elle était bébé), plutôt parce que... C'était comme si elle sentait des yeux tout autour d'elle, des yeux fixes.

Mais elle était Sophia, n'est-ce pas ?

Là-bas, on avait le matin une louchée d'eau chaude avec un petit paquet de pépins et d'épluchures de pommes séchées à y faire infuser. Elle se força à boire une gorgée de liquide brûlant, puis grignota avec lenteur une tartine sans beurre. Le beurre lui soulevait le cœur.

... Ce n'était pas que de l'appréhension, c'était aussi de la honte. Honte d'avoir tout cela pour elle seule.

Elle jeta un regard vers la tante occupée aux fourneaux, et glissa rapidement un morceau de pain dans la poche de sa robe. Elle ne digérait pas grand-chose, sauf le pain, et celui-ci était délicieusement bon. Si elle n'arrivait pas à tout manger, elle pourrait l'utiliser pour faire avec la mie un vase à fleurs, ou un bol, ou des pions d'échecs. Le pain était la base de toute chose. Ici, les vases étaient en jolie terre vernissée, mais cela devait coûter abominablement cher.

– Mange, Sophia, on croirait vraiment que ton estomac est minuscule.

Elle avait raison, tante Élisabeth, son estomac était sûrement trop petit.

– À quelle école es-tu allée ? continua la tante sans cesser de remuer une sorte de liquide épais dans un poêlon.

École ? Sophia ne répondit pas.

– Tu n'es jamais allée à l'école ? s'étonna la grosse femme.

Elle secoua la tête avec stupéfaction et conclut :

– Alors, la semaine prochaine, nous irons t'inscrire.

Sophia se crispa :

– Je ne veux pas être inscrite ; je ne veux pas aller à l'école.

– Mais tu dois apprendre à lire, et à écrire, c'est important dans la vie.

C'était cela, l'école, un endroit pour apprendre à lire et à écrire ?

– Je n'irai pas à l'école, insista néanmoins Sophia. Je ne veux pas savoir lire, ni savoir écrire.

La tante Élisabeth se retourna vers les fourneaux. La vie risquait de n'être pas facile, avec cette petite ! Elle se demanda un instant comment elle devait réagir. Mon Dieu, elle n'avait jamais été une femme autoritaire… Elle choisit de ne pas la brusquer.

– Alors, dit-elle, je t'apprendrai à cuisiner : une fille doit savoir faire la cuisine.

Une fille ?… *Là-bas*, n'importe qui faisait chauffer la grande bassine, et plus souvent les hommes, parce que c'était lourd à transporter. De toute façon, la cuisine se résumait à de la soupe d'orge ou de soja avec parfois, quand on réussissait à en voler dans la réserve, quelques oignons. Une fois même, elle avait eu des pommes de terre !

Élisabeth ajouta de l'eau dans sa préparation et commença d'y jeter une à une les carottes. Ne pas la brusquer. Bon… Mais Dieu, quelle étrange enfant ! Elle ne put s'empêcher de reconnaître qu'elle lui faisait un peu peur. On avait inhumé sa mère hier, et Sophia n'avait montré aucune émotion, seulement un léger étonnement pour la cérémonie d'enterrement et les dalles de pierre du cimetière. Avait-elle le cœur si dur ? Voulait-elle seulement cacher ses sentiments ? Quand Élisabeth l'avait prise par la main pour la réconforter, elle avait retiré sa main. Ensuite, elle était restée immobile devant le cercueil qui descendait en terre, sans paraître troublée, sans verser une larme.

Sophia était restée immobile devant le cercueil qui descendait en terre.

Elle revoyait le visage d'Olga… Ils avaient frappé à la porte, Ivan et elle. Ivan avait passé les deux mois précédents à lui démontrer qu'Olga était sa seule chance. Oui... quelle chance ! Ils avaient donc frappé à la porte de la ferme délabrée, en tentant de se persuader qu'Olga ne pouvait pas les rejeter.

La ferme était solitaire, isolée. La brillance immaculée de la neige tout autour prouvait que personne n'était entré ni sorti depuis longtemps. Un manteau blanc et lisse, comme sur les collines désertiques, *là-bas*. Plus la moindre aspérité.

Olga avait ouvert la porte, avec juste de l'étonnement dans les yeux. Alors ils avaient dit leur nom, et l'incroyable s'était produit : Olga les avait regardés fixement, puis elle avait ouvert la bouche comme pour chercher de l'air, ses yeux s'étaient emplis de frayeur. Elle avait crispé la main sur son cœur et s'était effondrée.

Ils étaient restés auprès d'elle toute la nuit (d'ailleurs, où seraient-ils allés ?). Ivan, lui, avait l'air de se douter de ce qui l'avait tant effrayée, mais il ne voulait rien dire. Il avait réfléchi longuement, et il avait déclaré qu'il fallait laisser faire le destin. Bien sûr, laisser faire le destin pour elle, pour elle seulement, car son destin à lui, il voulait le prendre en main.

Au petit matin, il était parti voir le maire, puis il avait attendu la confirmation que l'oncle Léopold était prévenu. Que s'était-il passé ensuite ? Elle n'avait eu aucun détail. Ivan lui avait juste annoncé, avant de disparaître, qu'elle allait être prise en charge par l'oncle Léopold. Quelle surprise de s'apercevoir par la suite que Léopold la croyait fille d'Olga. C'était incompréhensible. Olga avait-elle vraiment une fille ? Où était-elle, alors ?

Elle, elle ne voulait pas aller chez l'oncle. Elle ne voulait pas ! Elle ne voulait pas ! Mais Ivan n'avait rien écouté, il semblait pressé et s'était volatilisé aussitôt en l'abandonnant là. Elle en était furieuse, et plus encore quand l'oncle était arrivé. Elle l'avait très mal accueilli… Pourtant, c'était certainement injuste.

Voilà. Le cercueil avait disparu dans la terre et elle était Sophia. Devait-elle le rester ? Qu'est-ce que cela changeait ? Elle se posa une nouvelle fois la question, sans apporter de réponse.

– Je vois que tu t'es déjà habillée, remarqua tante Élisabeth. Normalement, il faut que tu fasses ta toilette avant. Enfin, pour aujourd'hui… J'irai t'aider à te laver tout à l'heure.

– Je ne veux pas ! lança la fillette avec un peu de frayeur.

– Tu ne veux pas te laver ?

– Je ne veux pas que vous m'aidiez.

Allons bon ! Voilà autre chose !

– Ce sera comme tu voudras, ce n'est pas grave. Pourtant, se frotter seul le dos n'est pas facile.

La fillette avait le visage si fermé qu'Élisabeth n'insista pas.

Sophia osa enfin se glisser dans le salon : Nini dormait d'un sommeil de plomb. À pas de loup pour ne pas la réveiller, elle se dirigea vers le secrétaire (c'est ainsi que tante Élisabeth avait appelé ce meuble). Elle l'ouvrit silencieusement, prit quelques feuilles de papier sur le dessus du tas et referma sans provoquer le moindre grincement. Depuis sa naissance, elle avait appris à ne faire aucun bruit. Survivre était à ce prix.

Elle monta à sa chambre, ferma sa porte, posa une feuille sur la table et dissimula les autres sous le matelas.

Elle sortit sa vieille robe doublée de laine de l'armoire et extirpa de la grande poche si pratique une longue boîte en bois, qu'elle ouvrit avec précaution pour y choisir un bâtonnet de charbon. Ensuite, elle saisit entre deux doigts le morceau de lame qui lui servait de couteau et retailla la pointe du charbon. Penchée sur sa feuille, elle resta un instant à se concentrer, avant de se décider à écrire les trois lignes qu'il fallait.

L'école, elle n'en avait pas besoin.

Quand tout fut fini, elle rangea de nouveau la lame avec le reste de son trésor, qui se composait de timbres et de colle, elle plia son papier en trois pour en coller les bords ensemble, écrivit l'adresse, puis posa le timbre.

Tout remettre à sa place, la boîte dans la robe, la robe dans l'armoire, à côté des chaussettes de laine, ces chaussettes épaisses et chaudes qui faisaient la fierté de sa mère, mais ne semblaient pas avoir l'approbation de la tante Élisabeth.

Ici, la laine avait-elle moins de valeur ? Les vêtements n'étaient-ils pas uniquement destinés à se protéger du froid ? La laine, c'était le plus chaud, le plus précieux. Elle caressa le bord de sa vieille robe repliée. Elle ne s'en séparerait jamais. Jamais !

L'escalier ne craqua à aucun moment sous ses pas : elle savait déjà où se trouvaient les marches douteuses. La porte ne grinça pas, se referma dans un souffle. Elle était dehors.

Elle longea le trottoir d'un pas un peu raide, marcha

jusqu'au bout de la rue et jeta sa lettre dans la boîte marquée « Service du Courrier ».

Elle revint du même pas. La tante Élisabeth était toujours à la cuisine, elle ne s'était aperçue de rien.

CHAPITRE IV
Un courrier ?

Sophia se réveilla en sueur. Les barbelés lui griffaient le visage, s'accrochaient à sa robe, déchiraient ses mains. Elle rampait sur le dos, les cheveux dans la boue. Elle avait envie de hurler, mais elle ne pouvait pas. Près de son visage, des galoches crottées prenaient appui sur les boursouflures de glaise. La boue lui entrait dans la bouche, elle se débattait, si fort que le sol s'ouvrait sous elle. Sa main voulait se raccrocher à l'homme aux galoches. Elle n'arrivait pas à l'atteindre ! Alors elle tombait, tombait, et elle se réveillait en sueur. C'était son cauchemar le plus fréquent.

Là… Tout allait bien. Elle passa les mains sur son visage et sur ses bras d'un geste automatique, mais cela ne provoqua pas les petits bruits secs habituels, celui des punaises qui tombent sur le sol.

Il fallait qu'elle se réveille ! Ici, pas de punaises, aucune de ces vilaines bestioles qui vous attendent tout le jour, massées en grappes compactes sous les planches des lits, pour se jeter sur vous dès le coucher. Ici, il n'était plus nécessaire de s'envelopper le visage dans un tissu pour dormir. Elle se rappela avec un frisson ses réveils brusques, quand les sales bêtes étaient parvenues à se glisser par les trous percés pour respirer et couraient sur la peau, réussissant même parfois à pénétrer dans ses narines.

Elle s'assit. Le lit était chaud et trop moelleux, c'est peut-être ce qui avait provoqué son cauchemar.

Elle arracha au matelas une couverture, s'enveloppa dedans et s'allongea par terre sur le tapis.

Ici, pas non plus de ces énormes puces assoiffées de sang, qui vous dissuadent de vous coucher sur le sol pour éviter les punaises des lits.

Elle écouta. Pas de punaises, pas de puces, même pas de sirène à vous hurler dans le cœur, juste la pendule en bas qui sonnait cinq coups. Cinq heures. Il faisait grand nuit. Pourtant, on percevait derrière les volets fermés comme un scintillement. Il neigeait !

Quand elle s'éveilla de nouveau, il n'y avait aucune image dans sa tête, seulement des mots. « Emmène-la. Emmène-la. »

C'était la voix de sa mère.

Irina !

Sophia s'assit. Elle était ici dans le monde des vivants, elle entendait des bruits rassurants dans la cuisine.

« Registre »... Non ! Pas de registre, pas d'inscription, pas d'école !

Elle se réveilla tout à fait, alla jusqu'à la fenêtre et poussa le volet d'une main inquiète, comme si elle devait découvrir que ce monde s'était évanoui pendant la nuit.

La neige. Tout était beau et pur, avec juste ce rayon furtif de soleil levant qui bleuissait l'horizon. En ombres lourdes à contre-jour, les façades des maisons.

Nini ne dormait pas, elle mangeait une soupe de pain et de viande (peu de pain et beaucoup de viande) que Sophia resta contempler sans rien dire.

– Aujourd'hui, elle a un peu d'appétit, fit remarquer la tante, j'espère que toi aussi.

Nini ne finit pourtant pas sa ration. Elle demanda à sortir en donnant contre la porte un coup de patte autoritaire.

– Ouvre-lui, demanda la tante.

Sophia entrebâilla la porte pour que Nini puisse se faufiler dehors et descendre dans la petite cour qui séparait la maison de la rue, et où elle avait l'habitude de faire ses besoins.

Cela ne dura guère, et la grande chienne efflanquée remonta aussitôt d'un air pressé, pour retourner s'étaler de tout son long devant le feu en émettant un voluptueux soupir de satisfaction.

– Elle est vraiment devenue casanière, constata tante Élisabeth. Autrefois, elle demandait tout le temps à sortir côté jardin pour se défouler. C'est qu'un lévrier aime courir, et il en a même grand besoin. Aujourd'hui, la cour lui suffit. Quand la neige fondra, il y aura un gros travail de nettoyage des crottes.

Sophia regarda par la fenêtre. Le petit colis laissé par Nini faisait un trou sombre dans la neige. Soudain, prise d'une curieuse impression, elle releva la tête. Il n'y avait pas que ce petit trou dans la neige : devant la grille, sur le trottoir, des traces très profondes de pieds, perpendiculaires à la maison. Toutes les autres traces, celles des passants de la rue, étaient parallèles, et plus légères. Celles-ci… On aurait juré que quelqu'un s'était arrêté là un long moment, pour contempler la maison.

Un instant, Sophia demeura songeuse, puis elle quitta la fenêtre en courant et grimpa jusqu'à sa chambre.

Tante Élisabeth avait remarqué que Sophia n'avait bu qu'un peu de lait, et qu'une seule tartine avait disparu... Curieusement, il n'y avait aucune miette sur la table. Cela lui remit en tête ses questions sur l'étrange comportement de la petite. Voilà qu'elle était montée dans sa chambre, maintenant, aussi rapide et silencieuse qu'une souris, comme s'il y avait une urgence grave et secrète. Cette petite, on avait toujours l'impression qu'elle cachait quelque chose.

La tante en était là de ses réflexions, lorsqu'elle aperçut une ombre passer devant la porte de la cuisine. Ça alors ! Sophia était sortie !

Abasourdie par l'étrange liberté que prenait cette enfant, Élisabeth ouvrit la fenêtre et se pencha. Sophia s'éloignait d'un pas décidé.

Sans prendre le temps de jeter un manteau sur ses épaules, la tante descendit les cinq marches qui menaient à la cour et courut regarder par-dessus la grille. Sophia marchait droit devant elle, sans se retourner. Fallait-il intervenir ?

Élisabeth allait juste décider de lui courir après, quand elle se rendit compte que Sophia venait de s'arrêter. N'était-ce pas devant la boîte à lettres ? On aurait dit qu'elle postait quelque chose.

À qui ?

C'était stupéfiant car, pour expédier quoi que ce soit, il fallait bien écrire une adresse ! Or Sophia n'était visiblement jamais allée à l'école.

Voilà qu'elle revenait !

La tante rentra en courant dans la maison. Elle se sentait presque en faute…

Mais enfin, c'était un peu fort, tout de même ! Elle avait la responsabilité de cette petite, elle devait…

Oui, mais d'un autre côté, intervenir pourrait paraître brutal, et…

Et puis curieusement, Sophia avait l'air très mûre. Elle faisait ce que bon lui semblait, peut-être pour la simple raison qu'elle avait été habituée ainsi, à se débrouiller. Oui, sûrement, parce qu'avec Olga qui buvait…

L'hésitation de tante Élisabeth était telle qu'elle préféra regagner la cuisine et faire semblant de ne s'être aperçue de rien.

– Repriser les chaussettes, commenta tante Élisabeth en enfilant son aiguille, n'a rien de passionnant, mais rien de désagréable non plus. On voit le travail avancer, on voit le résultat... ce n'est pas comme le ménage, où tout est sans cesse à refaire.

Levant les yeux sur Sophia qui cousait près d'elle, elle observa :

– Tu te débrouilles bien, dis-moi ! C'est important pour une femme, de savoir coudre.

Tante Élisabeth émettait toujours d'étranges préceptes. Pour une femme ? *Là-bas*, il était vital pour tous de savoir s'occuper de soi. Elle avait vu les hommes recoudre leurs hardes à points précis et économes, et s'ils ne l'avaient pas fait, on ne voit pas qui l'aurait fait pour eux.

Sophia se rendit alors compte que sa tante travaillait sur une chaussette grise appartenant à son mari. Dans le monde d'ici, on pouvait se décharger de ses propres affaires sur les autres ?

Elle piqua avec volupté son aiguille dans le tissu moelleux. Une véritable aiguille, bien plus efficace que celles qu'elle avait utilisées jusqu'à présent, et qu'elle savait si bien fabriquer : on frottait d'abord longuement une allumette sur une pierre pour l'affiner et la rendre pointue, et puis on en fendait l'autre bout, d'un coup d'ongle adroit pour y coincer le fil.

– L'aiguillée ne doit pas être trop longue, expliqua tante Élisabeth en faisant un nœud au ras du talon, sinon le fil s'embrouille. Un fil trop long, ma mère nommait cela « une aiguillée de paresseuse »... Mais je m'aperçois que tu n'as pas besoin de mes conseils, ma petite Sophia.

– Je ne m'appelle pas Sophia.

C'était sorti tout seul.

Tante Élisabeth la dévisagea d'un œil intrigué.

– Tu dis ?

Sophia demeura un instant saisie par ses propres paroles. Elle n'avait pas vraiment eu l'intention... Tant pis. Quelle importance, après tout ?

Gardant les yeux fixés sur son ouvrage, elle répéta d'un ton calme :

– Je ne m'appelle pas Sophia.

– Que dis-tu là ? Ton nom n'est pas Sophia ? C'est pourtant bien ce qui était marqué sur le faire-part de ta naissance que nous avait envoyé Olga.

Comme la petite ne répondait pas, Élisabeth se mit à rire :

– Ah ! tu n'aimes pas ton prénom et tu préfères en changer !

– Non... Ce n'est pas cela... Je ne m'appelle pas Sophia, parce que je ne suis pas Sophia.

– Que veux-tu dire ?

– Je ne suis pas la fille d'Olga.

La grosse tante ouvrit une bouche ahurie, et ses bajoues s'affaissèrent plus encore.

– Tu… bégaya-t-elle. C'est impossible ! Qui serais-tu donc ?

– Je suis la fille d'Irina.

– Irina ? Je ne connais point d'Irina ! Ma petite, j'ai bien peur que tu ne divagues !

Elle observa la fillette avec des yeux scrutateurs.

– Rends-toi compte de ce que tu me dis ! insista-t-elle.

Puis, se reprenant, elle s'exclama :

– Ah ! mais tu plaisantes ! Heureusement que tu ressembles si fort à Olga, sinon, tu aurais insinué le doute dans mon esprit.

– Il est possible que je ressemble à Olga, puisque Irina était la sœur d'Olga.

La tante la fixa de nouveau avec des yeux ronds :

– Tu prétends qu'Irina serait la sœur d'Olga ? (Elle se mit à rire.) Mais Olga n'avait pas de sœur : juste un frère, mon mari Léopold !

La petite resta de marbre. La phrase de sa tante pénétrait peu à peu dans sa conscience. Olga n'avait pas de sœur… Un moment, elle ne sut plus où elle en était. Elle n'ajouta rien. Elle ne pouvait mettre en doute les paroles de sa mère, c'est donc que tante Élisabeth ignorait tout de l'affaire.

– Je plaisantais, soupira-t-elle enfin, j'aime bien m'inventer d'autres vies.

Tante Élisabeth dodelina de la tête d'un air soulagé. Glissant l'aiguille dans son ouvrage, elle demanda :

– Connais-tu l'histoire de l'homme qui s'était mis en tête de faire parler son chien ?

Tante Élisabeth adorait les histoires, et elle était persuadée que c'était bon pour les enfants qui avaient des soucis. Or Sophia semblait être de ceux-là : la vie avec Olga, la mort d'Olga, semblaient l'avoir gravement perturbée.

– C'était un vieux moujik[1], reprit-elle, qui vivait tout seul avec son chien. Quand il allait faire son marché, il ne parlait aux gens que de son chien : c'était le plus beau, le plus doux, le plus intelligent... bref, il ne lui manquait que la parole.

« – Justement, ricanait-on, il lui manque la parole.

« Vexé, le vieux moujik se jura bien de faire parler son chien. Chaque jour avec patience, il lui dit et redit des mots, en lui demandant de répéter après lui. Malheureusement le chien restait muet. Alors le vieil homme lui donna double ration de pâtée, des gâteaux et du sucre, il le fit coucher dans son lit et

1. Paysan russe.

le câlina à longueur de temps. Aucun résultat.

« Les gens du village se moquaient :

« – Allons chienchien, parle-nous !

« Mais l'animal ne disait rien.

« Alors, le vieux moujik se mit en colère. Chaque soir, au lieu de lui donner sa pâtée, il déposait un chardon piquant dans l'écuelle de son chien, puis il le frappait avec sa canne et l'envoyait coucher dehors dans le froid.

« La semaine suivante, quand on lui demanda :

« – Et ton chien, comment ça va ?

Il répondit :

« – Ça va bien. Je le brosse chaque matin, je l'emmène jouer dehors, je le bichonne, je lui donne la meilleure viande et des os pleins de mœlle.

« – Oh ! s'écria alors le chien, quel menteur !

Le rire fit vibrer les bajoues de la tante. Sophia la considéra un instant avec curiosité : non, tante Élisabeth ne savait rien de l'existence d'Irina.

CHAPITRE V

La fille d'Irina

Sophia referma soigneusement la porte du petit cabinet de toilette tendu de tissu bleu. Elle inspecta la porte, les murs, la petite fenêtre, le lavabo blanc, avant de se saisir d'une serviette de toilette et de l'accrocher à la poignée de la porte pour masquer le trou de la serrure. Personne ne pourrait l'espionner.

Là-bas, c'était différent : tout le monde se lavait au même lavabo de zinc, mais *là-bas*, tout le monde était pareil…

Elle ouvrit le robinet d'eau et glissa ses mains dessous. On était en hiver, et pourtant l'eau coulait. Elle n'était pas gelée dans les canalisations. On n'était pas obligé, pour se laver, d'aller chercher de la neige et de la faire fondre sur un feu de crottin de mouton, dont la fumée faisait tousser.

... Quand on allait ramasser la neige, on en avait les mains toutes rouges et glacées. Il fallait la tasser bien dur dans les vieilles boîtes de conserve précieusement récupérées, et qui servaient à tout, surtout à manger. (En partant, elle avait donné la sienne à Grete. C'était un beau cadeau. Grete avait été très heureuse, parce que jusque-là, elle ne possédait qu'un bol en mie de pain, trop petit.)

Elle peigna ses cheveux. Si sa mère avait pu les voir aujourd'hui ! Ils étaient longs et soyeux, car dans le monde de dehors, on n'était pas forcé de les couper, on craignait moins les parasites (c'est ce qu'Ivan lui avait expliqué en lui ôtant ses derniers poux).

– Sophia, as-tu terminé ?

– Bientôt, ma tante.

Aujourd'hui, elle remettrait bien sa vieille robe doublée de laine, mais la tante avait l'air de la considérer comme un chiffon. Pourtant, *là-bas*, c'était une des plus belles... Il avait fallu toute une saison de tonte pour la confectionner.

Il faut-dire que la laine, ce n'était pas facile à dissimuler. Ça prenait tout de suite un volume considérable. Dès le début de la tonte, donc, on commençait à faire des provisions. Il ne fallait pas prélever trop sur chaque mouton, sinon le cogneur s'en apercevait.

Le grand art était, au moment où l'on ramassait la toison du mouton qu'on venait de tondre, d'arracher d'un geste vif une poignée de laine et de la dissimuler dans sa chemise. Ensuite, pendant la toilette du lendemain, on la lavait discrètement entre ses mains. Si la touffe était trop volumineuse, le cogneur pouvait la repérer, le mieux était donc de la prendre à peu près de la taille d'un morceau de savon. La couleur en étant voisine, personne ne décelait la supercherie.

Pour faire un vêtement, il en fallait, des poignées de laine ! Cette robe les avait tenues, sa mère et elle, toute une saison. Sans parler du temps passé à la filer entre ses mains, dans la nuit, à la seule lueur de la lune, puis à la tricoter avec des aiguilles d'osier. Le tricot devait être fin et serré, de manière à pouvoir être cousu sous le grossier tissu qu'on leur donnait une fois par an pour se confectionner des vêtements, et que personne ne le remarque.

Les cogneurs étaient-ils dupes ? Sa mère en doutait. Elle disait qu'ils n'avaient pas vraiment intérêt à les laisser tous mourir de froid, car leur travail avec les moutons leur rapportait bien, et celui des hommes dans les mines encore plus.

– Alors, demanda Élisabeth, et les chiens ?

– Sans changement, soupira son mari. Tite me semble aller un peu mieux, mais c'est aussi ce que je croyais il y a trois jours, et puis son état a empiré... Ah ! si mon père voyait ce qu'est devenu son magnifique élevage !

L'oncle accrocha son chapeau dans l'entrée.

– On dit que les courses pourraient reprendre en Angleterre, ajouta-t-il, mais dans l'état actuel des choses, je ne sais pas combien de lévriers nous serions en mesure de présenter, ni comment payer leur voyage jusque là-bas.

– Mais si nos bêtes gagnaient ?

– Ah bien sûr ! Si elles gagnaient ! Mais comment le savoir ? Et où trouver l'argent pour investir dans un tel déplacement ?

Léopold demeura songeur.

– Bien sûr, murmura-t-il, je pourrais...

– Tu pourrais quoi ?

– ... Rien. Rien, finit-il brusquement.

Il s'accroupit près de Nini et lui caressa doucement le ventre. Ses yeux étaient soucieux.

Élisabeth l'observa un instant. Il pourrait quoi ? Elle sentait depuis longtemps que son mari lui cachait quelque chose, qu'il savait comment se procurer de l'argent, et pourtant n'osait pas. Elle aurait bien insisté…

– Et la fille ? demanda soudain Léopold.

– Elle s'habitue, bien qu'elle me paraisse toujours aussi étrange. Par exemple, elle refuse d'aller à l'école, elle refuse que je l'aide à se laver…

– Pour l'école, c'est aussi bien, interrompit Léopold, parce que ça coûte cher. Pour ce qui est de se laver… eh bien, toutes les jeunes filles doivent être comme cela, non ?

– Je ne sais pas… Ce n'est pas son refus qui m'a étonnée, mais sa manière de refuser, comme si elle en était effrayée.

– Oh ! Elle a dû être élevée en sauvage. Avec Olga, tu sais…

Élisabeth réfléchit un instant.

– Et puis, ajouta-t-elle, il y a plein d'autres détails troublants. Pendant qu'elle était au cabinet de toilette, j'ai voulu brosser sa robe neuve, et sais-tu ce que j'y ai découvert ?

L'homme fit un signe de tête intrigué.

– Dans ses poches, des tranches de pain et des morceaux de sucre.

– Tiens ! Je croyais qu'elle n'avait guère d'appétit !

– Justement ! je n'y comprends rien. C'est comme

si elle avait peur de manquer, alors qu'elle ne mange presque rien de ce qu'on lui donne.

– Hum… Et comment se comporte-t-elle avec toi ?

– Mieux, moins farouche. Pourtant, je ne sais pas comment expliquer… Elle fait tout ce qu'on lui demande sans rechigner, toutefois je n'arrive pas à savoir ce qui lui plaît ou non. On croirait qu'elle suit une sorte de chemin personnel à l'intérieur d'elle-même, et qu'elle ne réussit pas à s'intéresser au dehors. Par moment, j'ai l'impression qu'elle n'est qu'un petit automate, et si par malheur on touche sans le savoir un point sensible, elle réagit avec violence, comme si quelque chose se désarticulait soudain. J'aimerais comprendre, je t'assure.

– Montre-toi plus sévère, n'admets aucune rébellion.

Élisabeth dodelina de la tête, comme à chaque fois qu'elle nourrissait des réflexions contradictoires. Sévère ? Elle ne pouvait pas. Chez Sophia, elle avait l'impression d'une souffrance cachée quelque part, sur laquelle elle appuyait parfois sans le vouloir.

– Je ne crois pas qu'il y ait de mauvaise volonté en elle, observa-t-elle.

Elle passa la lanière de son tablier par-dessus sa tête puis, distraitement, noua les lacets dans son dos.

– Cet après-midi, reprit-elle, elle m'a surprise : elle a tenté de plaisanter avec moi, mais d'une façon si sérieuse...

Léopold ne demanda rien. Il nettoyait ses ongles avec une petite lime d'un air pensif.

– Elle m'a dit, poursuivit sa femme... Comment m'a-t-elle dit cela ?... Elle m'a dit qu'elle ne s'appelait pas Sophia.

– Curieuse fille. Elle a prétendu la même chose le jour où je suis allé la chercher chez Olga.

– Attends, le plus surprenant, c'est qu'elle m'a affirmé qu'elle ne s'appelait pas Sophia, pour la bonne raison qu'elle n'était pas Sophia, qu'elle n'était pas la fille d'Olga.

– Comment cela ?

– Elle a ajouté qu'elle était la fille d'Irina.

Son mari la fixa d'un air ébahi.

– La fille..., prononça-t-il lentement.

– D'Irina ! Je te demande un peu !

La bouche de Léopold se plissa, comme s'il cherchait à articuler ce nom sans y parvenir. Lui d'ordinaire si rougeaud était devenu tout pâle.

– Tu ne te sens pas bien ? s'inquiéta sa femme.

– Si, si... enfin, il faut que je prenne l'air.

– Oui, mets ton manteau et sors un peu. Veux-tu que je t'accompagne ?

– Non. Non, ça va aller. Je vais marcher un moment dans la neige, et l'air vif va me…

Il ne finit pas sa phrase. Il paraissait presque angoissé. Il sortit sans ajouter un mot, sans même prendre son chapeau. Il faisait déjà nuit. Le vent soufflait du nord.

L'horloge sonnait la demie, lorsqu'on frappa à la porte.

« Enfin le voilà ! » songea Élisabeth en allant ouvrir.

Mais ce n'était pas son mari. C'était un, ou plutôt deux agents de police.

– Madame Fédine ?

– Oui…

– Vous êtes bien la femme de Léopold Fédine ?

– Oui, acquiesça de nouveau Élisabeth, de plus en plus intriguée.

– Il y a eu un accident.

– Mon mari ? Mon Dieu, mon Dieu, j'aurais dû sortir avec lui, j'ai bien vu qu'il ne se sentait pas bien. Il s'est évanoui ? Mon Dieu, c'est peut-être la même maladie que les chiens !

– Non, madame, il ne s'est pas évanoui. Il a… il est…

Élisabeth attendait avec anxiété, guettant sur la bouche de l'homme un mot d'explication. Pris de malaise, était-il tombé sur la chaussée, et…

– Il a eu un accident ? demanda-t-elle affolée.

– Non, non. Il a… été tué.

Les lèvres de la grosse femme se mirent à trembler.

– Tué par quoi ? bégaya-t-elle.

– Eh bien… D'un coup de couteau.

CHAPITRE VI
Des traces dans la neige

Sophia se tenait immobile derrière la fenêtre de sa chambre. Dehors, il neigeait. Il neigeait toujours. Oncle Léopold était mort. Tante Olga était morte.

Tante Olga était morte à cause d'elle. Oncle Léopold ? Oncle Léopold aussi, elle en était certaine. Pourquoi ? Elle ne se l'expliquait pas. Peut-être seulement qu'elle portait malheur. C'était ça : elle portait malheur.

Elle ne voulait pas descendre au rez-de-chaussée, parce qu'on avait installé le mort dans le salon. Elle ne voulait pas le voir. Plus de morts. Plus de morts.

Elle agrippa soudain la poignée de la fenêtre. Dehors, sur le trottoir d'en face… Il regardait par ici. Les deux pieds enfoncés dans la neige, il regardait la maison !

Sophia lâcha la poignée, se précipita sur la porte de sa chambre, l'ouvrit à la volée et se jeta dans l'escalier aussi vite que lorsqu'elle venait de voler une ficelle aux cogneurs et que les chiens la poursuivaient. Elle traversa le hall en courant et bondit dehors.

Il n'y avait personne. Personne !

La rue, le trottoir. Les traces de pieds étaient bien là, perpendiculaires à la maison, comme l'autre fois. Un homme avait stationné à cet endroit. D'ailleurs, elle n'avait aucunement besoin de ces traces pour en être persuadée. Elle savait même parfaitement qui était cet homme.

Elle regarda à droite et à gauche, pour tenter de suivre des yeux les traces dans la neige, mais il y en avait trop, mêlées, dans tous les sens. Par où était-il parti ?

Elle se mit à courir sur le trottoir, les yeux à l'affût, avec un peu d'affolement. Lui revenaient les mots de sa mère, qu'elle n'avait pas vraiment saisis.

Lui, celui qui avait laissé ses empreintes, il avait juré. Juré quoi ?... De l'emmener, elle, Anouchka. Et puis ? Et puis quoi d'autre ?

Rue après rue, la nuit s'obscurcissait.

« Toute cette souffrance se paiera, disait-il. Toute cette souffrance. » Il frottait les doigts glacés d'Irina, un à un.

Et, de temps en temps, il pressait contre son cœur ses mains amaigries. Alors il avait des larmes dans la voix.

Tout le temps de l'agonie d'Irina, il lui avait tenu la main. Et elle, Anouchka, passait avec douceur un tissu sur le front brûlant de sa mère, déposait un baiser sur sa tempe qui battait trop fort, luttait avec les larmes qui auraient trahi son désespoir. Non, il ne fallait pas qu'elle pleure, afin que sa mère puisse partir en paix.

« Il n'y a plus rien à faire, mon bébé, avait dit Irina. C'est mon heure et je m'en vais, crois-en mon dernier diagnostic de médecin. Ne pleure pas, surtout, je suis apaisée maintenant. Il aura fallu toutes ces années, tu vois… Maintenant, je sais que tu es grande, et assez forte pour survivre seule, même si je t'appelle encore mon bébé… Promets-moi, dès que vous m'aurez mise en terre, de t'enfuir, sinon ils ne te laisseront jamais partir. Parce qu'ils n'avaient pas le droit, tu comprends, de te garder ici, et qu'ils ne voudront pas que cela se sache. Je suis si triste que tu aies grandi parmi nous, mais si heureuse en même temps, que tu aies pu rester avec moi. Tu me comprends, mon bébé…

– Ne t'en fais pas pour moi, maman, je m'en sortirai.

– Je sais. S'il y a bien une chose qu'on apprend, ici, c'est à survivre, et pour cela, tu es la meilleure. Ne pleure pas, Anouchka, tu dois être forte.

– Je le serai.

– Sitôt la nuit venue, pars avec Basile. Fais exactement ce que nous avons décidé. Tu te rappelles bien tout, n'est-ce pas ? »

Anouchka se rappelait. Elle savait toutes les étapes, jusqu'à tante Olga.

« Elle me doit bien ça », avait dit Irina.

Peut-être. Seulement, à partir de là, plus rien ne s'était passé comme prévu. Et ce soir, deux traces de pas dans la neige.

– Madame Élisabeth Fédine ?

– C'est moi, souffla la grosse dame en s'essuyant les yeux.

– Je suis désolé de vous déranger, je suis l'inspecteur Biely.

– Ah… Oui… Entrez.

– Je sais que ce n'est pas un très bon moment, cependant il faut que je vous pose certaines questions, vous comprenez ?

– Je comprends, inspecteur, il faut trouver qui a pu commettre une telle ignominie.

– Justement, c'est ma question. Savez-vous si quelqu'un avait des raisons d'en vouloir à votre mari ?

– Croyez bien que je me le demande depuis hier.

Non vraiment, je ne vois pas. Je crois que c'est un voleur… Je sais, on ne lui a rien volé, mais peut-être simplement parce que le criminel n'en a pas eu le temps.

– C'est une hypothèse. Donc, vous ne voyez aucun ennemi susceptible de…

– Vraiment non.

– Qui fréquentait-il ?

– Peu de monde : Grégoire, le surveillant du chenil, et aussi nos voisins. Mais enfin, rien de très proche.

– Avait-il de la famille ?

– Une sœur, qui vient de mourir.

– Ah ! De quoi ?

– Crise cardiaque.

– Personne d'autre ?

– Non.

– Réfléchissez : à quoi pourrait-on lier ce crime ? Quelle était l'activité de votre mari ?

– Il élevait des lévriers barzoïs, des bêtes de course.

– Ah ! ces chiens très grands et très minces, avec le poil ras.

– Non, vous confondez avec les lévriers greyhounds.

– Ah ! Enfin, peu importe l'allure des chiens. Ces chiens ont-ils de la valeur ?

– Sûrement, oui. Mais de là à tuer un homme…

Et pourquoi ? Pour voler des chiens ? Non, je ne vois pas…

– Votre surveillant, Grégoire, n'avait-il aucun intérêt à voir disparaître votre mari ?

– Mon Dieu ! Qu'allez-vous chercher là ?

– Bien. Dans ce cas…

L'inspecteur nota quelque chose sur un petit carnet, avant de conclure :

– Je n'ai pas d'autres questions pour aujourd'hui. Je vais vous laisser. J'aurai peut-être à revenir pour d'autres précisions.

La grosse femme hocha la tête. Elle comprenait.

C'est quand elle eut refermé la porte derrière lui qu'elle songea… La famille Fédine ! Elle avait oublié de parler de Sophia. Bien sûr, sur le moment, elle n'avait songé qu'à la fratrie, mais Sophia était aussi la famille ! Enfin, cela ne présentait guère d'importance. Grégoire… Et si Grégoire était responsable de la maladie des chiens et qu'il ne voulait pas que son maître le découvre ?

Allons allons ! Devenait-elle folle ? Comment imaginer des horreurs pareilles ?

L'inspecteur descendit les marches du perron d'un air distrait. Bah ! Crime de rôdeur, qui n'a pas le temps de dépouiller sa victime, c'était le plus vraisemblable. Ce Léopold Fédine paraissait le type même du bourgeois sans histoire.

Pourtant… L'inspecteur songea soudain à un détail curieux…

Oui, enfin, c'était un détail ridicule.

Bon, il demanderait quand même à la femme pourquoi son mari se trouvait dehors sans chapeau. Détail ridicule, mais les détails sont souvent plus parlants qu'on ne pourrait le croire. Sortir à cette heure tardive sans chapeau ne correspondait ni aux mœurs d'un homme de cet âge, ni à la température extérieure.

L'inspecteur remonta son écharpe jusque sur son nez. Brrr…

Il franchissait le portail lorsqu'il se cogna à un gosse, enfin, à quelqu'un de petite taille.

– Pardon ! dit-il en même temps que la jeune voix.

C'était une fille. Sans chapeau ni manteau. Elle passa devant lui et pénétra dans la cour. Décidément, c'était une manie, dans cette maison, de sortir sans se couvrir par un froid pareil !

Il demeura un instant immobile, à regarder la petite silhouette disparaître par la porte.

Tiens ! Fédine avait une fille !

Drôle de fille, d'ailleurs : quand il avait croisé son

regard, il aurait juré qu'il y avait dans ses yeux de la crainte. Oui, elle avait eu peur de lui.

Bah ! N'était-ce pas normal ? Elle avait été aussi surprise que lui par leur rencontre inopinée.

Il n'empêche… S'il avait su qu'il y avait une fille, il l'aurait interrogée aussi. Les enfants voient parfois des choses que les adultes ne voient pas. Ou même simplement, il leur arrive de dire de manière spontanée des vérités que les adultes n'auraient jugées ni importantes, ni intéressantes.

Il hésita un instant à frapper de nouveau à la porte.

Bah ! Demain… Il la rencontrerait demain.

CHAPITRE VII
L'inspecteur Biely

Le lendemain matin, l'inspecteur arriva chez la veuve Fédine juste pour en voir partir le corbillard. Manque de chance ! Il hésita un moment sur la conduite à tenir, puis décida de suivre le cortège jusqu'au cimetière. Après tout, assister à un enterrement pouvait être fort instructif et, dans cette affaire brumeuse, il ne fallait rien négliger. Néanmoins, il choisit de demeurer à l'abri des grands arbres pour ne pas se montrer de façon trop évidente. D'ailleurs, cela présentait un double avantage, puisqu'il neigeait.

Au bout d'un moment, l'inspecteur Biely se rendit compte que depuis son arrivée, il n'avait fait qu'observer la petite. D'abord, il avait remarqué ce qui était de toute évidence remarquable : elle était incroyablement menue, si menue qu'il n'arrivait pas à lui donner d'âge. Et puis un visage trop émacié pour un enfant, des yeux trop grands… Ensuite, il se fit la réflexion qu'elle était bien la seule de toute cette triste assemblée à ne pas sembler souffrir du froid. L'examen rapide des hommes et des femmes qui se pressaient autour de la tombe ne laissait aucun doute : tout le monde claquait des dents, tenait son col relevé et bien fermé, tapait discrètement des pieds dans la neige, se serrait les bras autour du corps… Elle non. Elle ne mettait même pas ses mains à l'abri dans ses poches. Son visage était… triste, ou plutôt tourmenté, mais elle ne pleurait pas.

Elle n'était pas en noir. Elle portait un manteau bleu marine, visiblement neuf, et qui ne lui allait pas vraiment. On aurait dit qu'elle s'était déguisée avec les vêtements d'une grande sœur et faisait son possible pour se redresser afin de les remplir.

Finalement, l'inspecteur ne vit qu'elle durant la cérémonie, et il était en train de penser qu'elle ne ressemblait guère aux fillettes d'ici – en tout cas pas à ses petites sœurs – quand il fut surpris par la dispersion de l'assemblée. Il n'avait pas vu le temps passer.

Maintenant, il faudrait attendre un bon moment, pour laisser aux Fédine mère et fille le temps de rentrer chez elles et de se remettre de cette épreuve.

L'inspecteur Biely se présenta chez Fédine comme quatre heures sonnaient.

La dame était toujours en noir, toutefois elle avait déjà remis par-dessus sa robe un tablier gris.

– Bonjour, dit l'inspecteur, je vous dérange à nouveau, mais cette fois, c'est pour rencontrer votre fille.

– Ma fille ? fit Élisabeth éberluée. Voyons, je n'ai pas de fille.

L'inspecteur fut un instant pris de court.

– Eh bien… la petite qui était auprès de vous à l'enterrement.

– Ah ! vous voulez dire Sophia !

– Elle n'est pas votre fille ?

– Non, ma nièce seulement. Vous désirez la voir ? Elle est dans sa chambre.

– Si c'est possible, mais…

Ce n'était que la nièce. L'inspecteur se ravisa :

– Attendez. Je voudrais savoir d'abord deux ou trois choses sur elle. C'est vous qui l'élevez ?

– Oui, depuis la mort de sa mère, il n'y a guère que quelques jours.

– Cette Olga dont vous m'avez parlé ?

– Oui. La petite n'a pas d'autre famille que nous.

– N'est-elle pas malade ? Elle paraît bien menue…

– Je suis de votre avis, j'aurais même voulu qu'elle voie un médecin, mais elle refuse absolument. D'un autre côté, elle est plutôt solide malgré son apparence, et très vive. Je pense qu'avec Olga, elle a dû apprendre à se débrouiller seule. Il faut dire que ma belle-sœur buvait ces derniers temps.

L'inspecteur sortit un carnet et un crayon.

– Donc, elle s'appelle Sophia.

– Euh… oui. C'est cela.

Élisabeth se sentit soudain prise d'un doute. C'était idiot, mais voilà qu'elle repensait à cette histoire…

– Vous ne semblez pas être sûre de vous, s'étonna l'inspecteur.

– C'est que, une fois, elle a soutenu à mon mari, et une autre fois à moi, qu'elle ne s'appelait pas Sophia.

– Et comment a-t-elle dit s'appeler ?

– Elle ne l'a pas précisé. Elle a ensuite déclaré qu'elle avait seulement voulu plaisanter, et sur le moment, franchement, je l'ai cru. Seulement…

– Oui ?

– C'est peut-être sot de ma part, j'ai peut-être mal interprété… Pourtant, plus j'y pense, plus j'en suis sûre. Quand j'ai raconté la scène à mon mari, il est devenu tout pâle.

– D'apprendre qu'elle ne s'appelait peut-être pas Sophia ?

– Non, non, pas tout à fait : cela, il l'avait déjà entendu. C'est quand j'ai précisé qu'elle affirmait ne pas être Sophia, parce qu'elle n'était pas la fille d'Olga mais d'une autre personne qu'elle a appelée Irina.

– Qui serait cette Irina ?

– Justement, elle a prétendu que c'était la sœur d'Olga. Or Olga n'a pas de sœur, je le sais, puisque Olga était l'unique sœur de mon mari.

– Et c'est donc quand vous avez raconté cela à votre mari…

– Oui, enfin… C'est peut-être un concours de circonstances. Soudain il ne s'est pas senti bien. Naturellement, cela peut n'avoir aucun rapport… C'est alors qu'il est sorti pour prendre l'air.

– Sans son chapeau.

Élisabeth considéra l'inspecteur avec curiosité.

– Oui, sans son chapeau, confirma-t-elle d'un ton interrogatif qui soulignait sa totale incompréhension. Bien, je vais appeler Sophia, si vous le désirez.

– Oui… euh… attendez ! Je suis très pressé, il faut que je reparte, pouvez-vous l'amener à mon bureau dans une heure environ ? Je vous note ici l'adresse.

– Bien, fit Élisabeth surprise.

L'inspecteur salua et sortit.

Décidément, cette petite l'intriguait de plus en plus. Bien entendu, il n'était pas pressé : c'est juste qu'il préférait rencontrer la fille seul à seule, hors de la présence de la tante.

Quand Sophia arriva, à la porte marquée « Inspecteur Biely », il pouvait être dans les cinq heures et la nuit commençait à tomber. L'inspecteur laissa la tante dans le couloir, introduisit la fille et la fit asseoir sur la chaise inconfortable qui lui faisait face de l'autre côté de son bureau.

Il avait déjà songé à faire changer le siège. Sa dureté avait été voulue pour que les personnes interrogées y soient mal à l'aise, cependant l'inspecteur pensait que cela pouvait avoir l'effet inverse de ce qu'on désirait : mal assis, le prévenu se tenait sur ses gardes. Or s'il était plus rassuré et détendu dans un bon fauteuil, ne se laisserait-il pas aller à parler avec plus de confiance ?

La fille, en tout cas, ne paraissait pas être gênée par l'inconfort de l'horrible chaise. Son visage reflétait plutôt une certaine détermination.

– Vous vous appelez Sophia ?

Elle hocha la tête. Surpris (à quoi s'attendait-il donc ?), l'inspecteur demeura un moment silencieux.

– Quel âge avez-vous ?

La fille haussa les épaules.

– Douze ans, répondit-elle finalement.

Et l'inspecteur eut la ferme impression qu'elle avait dit n'importe quoi au hasard.

– Vous avez affirmé à votre tante, reprit-il avec circonspection, que Sophia n'était pas votre nom.

– Ma tante est un peu sourde.

– Vous lui avez parlé d'une certaine Irina. Qui est-ce ?

L'inspecteur ne put rien lire dans le regard de son interlocutrice, qui tenait la tête baissée et fixait maintenant le sol. D'une voix calme, trop calme et retenue, elle déclara :

– Ce n'est qu'une invention. Olga était une mère… difficile, je m'en suis inventé une autre.

– Ah !…

L'inspecteur Biely passa son crayon d'une main dans l'autre, dessina deux petits traits sur son bureau usé par le temps et couvert de graffitis, avant de reprendre :

– Connaissiez-vous des ennemis à votre oncle ?

– Je ne vis chez mon oncle que depuis quelques jours, je ne sais rien de lui.

– Bien… bien. Avez-vous remarqué quelque chose d'anormal ou d'insolite, depuis que vous êtes chez lui ?

Sophia secoua négativement la tête.

– Bien… Il faut que je m'absente un instant. Attendez-moi ici, voulez-vous ?

Il sortit par la porte de côté, qui donnait sur le bureau de son collègue Pavic, le plus vieil inspecteur de la maison.

– Tu as un problème ? demanda celui-ci.

– Problème, non. Difficulté, plutôt.

Biely se posta devant la petite ouverture qui permettait de voir dans l'autre bureau sans être vu, et commença de mâcher nerveusement un chewing-gum.

– Cette petite, commenta-t-il, est vraiment étonnante. Elle ment, j'en suis sûr. Et l'expression de son visage… je ne l'ai jamais vue chez un enfant. Et je m'y connais, crois-moi, puisque j'ai quinze frères et sœurs. Je n'ai vu ce regard que chez les criminels les plus endurcis.

– Tu crois qu'elle a tué son oncle ?

– Non, bien sûr que non ! Ce n'est pas ce que je veux dire. Elle possède seulement le même calme dans le mensonge, et donne l'impression qu'elle ne dira que ce qu'elle a décidé, rien d'autre.

– Tu la vois, là ? Que fait-elle ?

– Pour l'instant, rien. Elle attend… Ah ! elle se lève… Elle regarde autour d'elle, elle met les mains dans son dos et fait quelques pas. Elle jette un coup d'œil sur mon bureau, sans plus... Elle va jusqu'à la fenêtre, elle regarde dehors.

– Passionnant, commenta l'inspecteur Pavic d'un ton moqueur.

– Attends ! J'ai l'impression qu'elle a vu quelque chose dehors. Elle pose sa main sur la poignée de la fenêtre... Non, elle n'ouvre pas. Elle laisse retomber sa main, elle reste immobile. Toutefois, elle continue à regarder fixement dehors.

– Normal, il fait presque nuit : il faut scruter pour voir.

– Dommage que tes fenêtres ne donnent pas du même côté... Hé ! elle fait un mouvement, elle ôte son foulard.

– Encore plus passionnant, ironisa l'inspecteur Pavic, que toutes ces méthodes subtiles d'investigation agaçaient. Que fait-elle maintenant ?

– Elle met le foulard sur son visage... Sur sa bouche, et elle en ramène les pointes sur sa nuque, comme si elle voulait les nouer derrière. Pourtant, elle ne les noue pas.

L'inspecteur Pavic se leva, pour se placer derrière son collègue. Effectivement... Cette fille percevait-elle une odeur si infecte qu'elle voulait s'en protéger ?

Non, le foulard était sur la bouche, pas sur le nez.

L'inspecteur Biely quitta brusquement son poste

d'observation. Nom d'un chien ! Cette Sophia était en train de faire comprendre à quelqu'un qu'elle ne parlerait pas !

Il bondit dans la pièce, courut à la fenêtre et écarta violemment la fille. Dehors, les passants étaient nombreux…

Il ne perçut pas les deux traces de pieds, sur le bord du trottoir, qui regardaient vers eux.

– Il y a quelqu'un dehors ? Vous faites signe à quelqu'un ?

– Non !

– Pourquoi avez-vous mis votre foulard sur la bouche ?

– À cause des courants d'air, près de la fenêtre. C'est parce que mes lèvres gercent facilement.

L'inspecteur Biely demeura sidéré. Le mensonge tranquille, il en avait une nouvelle fois la démonstration. Il aurait parié qu'il y avait bien quelqu'un dans la rue, à qui elle avait fait un signe évident de silence, mais, avec ce genre de personne, comment savoir où était la vérité ?

Et était-elle vraiment Sophia, la fille d'Olga ?

Il s'arrêta soudain de mâcher son chewing-gum.

– Bien… lâcha-t-il avec une lenteur voulue, je vais donc enregistrer votre déposition.

Il s'assit à son bureau, prit un papier et une plume qu'il trempa dans son encrier, et inscrivit tout en parlant :

– Donc... Sophia Fédine... C'est cela ?

Sophia hocha la tête.

– ... déclare ne pas bien connaître son oncle et n'avoir rien remarqué de particulier le soir du meurtre. C'est bien ça ?

Sophia hocha de nouveau la tête.

– Bon... Signez là.

La fille prit le porte-plume comme si elle en voyait un pour la première fois de sa vie et dessina au bas du papier une croix, ainsi que le font les gens qui ne savent pas écrire.

L'inspecteur reprit le papier en concluant :

– C'est bon, vous pouvez vous en aller.

Il referma la porte sur elle et éclata enfin de rire en se frottant les mains.

– Je l'ai eue ! s'exclama-t-il, je l'ai eue ! À malin, malin et demi, ma petite.

Il relut triomphalement le papier qu'elle avait signé :

« Sophia Fédine... »

Fédine ! Le seul problème, c'est que d'après les renseignements de la veuve de Léopold, Olga ne s'appelait pas Fédine, de son nom de jeune fille, mais Zinik :

Olga Zinik, du nom de son mari ! Et cela, visiblement, la prétendue Sophia n'en savait rien.

L'inspecteur Biely recommença à mâcher joyeusement son chewing-gum. Il ne voyait pas pour l'instant de rapport certain avec le crime, mais il y avait évidemment là un mystère à éclaircir, et les mystères, il avait toujours adoré cela : c'était d'ailleurs la raison pour laquelle il était entré dans la police.

Une jeune fille sous une fausse identité, qu'on découvre chez une femme qui vient de mourir, et qui est adoptée par un homme qui meurt aussitôt. Sandieu ! Il tenait peut-être le bout du bout d'une drôle d'affaire !

CHAPITRE VIII

Un médaillon en écorce

– Que t'a demandé l'inspecteur ? interrogea tante Élisabeth.

– Ce que je savais de mon oncle. Je lui ai répondu que je le connaissais peu.

– Rien d'autre ?

– Non.

– Sur ton identité, par exemple ?

Ainsi, c'était bien la tante qui avait parlé…

– Ah oui ! Il m'a demandé mon nom.

– Et qu'as-tu répondu ?

– Eh bien… Sophia ! Que vouliez-vous que je dise ?

– C'est bien ton nom ?

– Mais oui, tante Élisabeth, je vous le répète : j'ai voulu plaisanter l'autre jour.

Elle passa sa main sur son front. Heureusement qu'elle n'était pas allée plus loin ce jour-là, car si l'inspecteur arrivait à remonter à sa véritable identité, et à sa mère, qu'arriverait-il ? De rapprochement en rapprochement, il parviendrait peut-être à tout comprendre.

Sophia était montée depuis un moment dans sa chambre, lorsque Nini regarda subitement vers le hall. C'est ce qui attira l'attention d'Élisabeth, ce qui lui fit lever la tête. Malgré son grand âge, Nini avait encore l'ouïe fine, et elle avait entendu Sophia descendre l'escalier à pas légers… Furtifs ?

Élisabeth n'eut que le temps d'apercevoir une ombre traverser le hall et sortir. Elle planta là son ouvrage et se précipita vers la porte aussi vite que sa redoutable corpulence le lui permettait. Elle passa dans la cour… Nul doute, la petite allait vers le bout de la rue. Elle postait de nouveau une lettre. C'était trop fort !

La tante remonta vite les marches du perron, entra dans la maison et retourna s'asseoir à sa place près du feu, pour reprendre son ouvrage de broderie.

Elle ne perçut que très faiblement la porte qui s'ouvrait et se refermait, le pas discret dans l'escalier, puis le couinement de la porte de la chambre, et enfin des pas au-dessus. Elle enfila son manteau et sortit.

L'employé du service postal était un homme austère. Son képi fermement enfoncé sur le crâne, il regardait chacun comme un fautif en puissance. Aussi, sans le vouloir, Élisabeth ressentit soudain une gêne à s'adresser à lui. Cela lui faisait le même effet que lorsqu'elle avait une faveur à demander à son père, autrefois.

Elle prit son courage à deux mains :

– Monsieur… ma fille vient de déposer une lettre dans la boîte extérieure. J'aimerais la récupérer.

– Ah ! Pour quelle raison ?

– C'est que… je ne l'ai pas autorisée à poster ce courrier.

– Ah ! Et alors ?

– Alors, je veux reprendre la lettre.

– Ah ! C'est que personne n'est autorisé à fouiller dans le courrier.

– Je ne veux pas fouiller, juste que vous me la donniez.

– Une lettre adressée à qui ?

– Mon Dieu… je ne sais…

L'employé eut un petit sourire narquois :

– Dans ce cas, comment voulez-vous que je vous la retrouve ?

Élisabeth resta muette.

– Et puis d'abord, pourquoi vous donnerais-je la lettre ?

– C'est ma fille, je suis responsable de son éducation. Elle est mineure, et je me dois de surveiller son courrier.

– Sûr. Seulement il me faudrait des preuves juridiques : premièrement qu'il s'agit bien de votre fille, mineure, deuxièmement qu'elle a bien posté un courrier…

– Mais je l'ai vue !

– … troisièmement que l'on me désigne formellement le courrier incriminé. Et à cette heure du jour, je parierais volontiers qu'il y a cent cinquante lettres dans cette boîte.

– Montrez-les-moi, je repérerai peut-être la bonne.

Élisabeth songeait confusément que le nom d'Irina pourrait fort bien s'y trouver.

– Et le secret des autres lettres, postées par d'autres personnes ? Non, madame, c'est impossible. Client suivant !

Élisabeth ressortit du bureau de poste toute décontenancée, un peu honteuse de s'être fait rembarrer et d'avoir pu passer pour une indiscrète.

Toutefois... n'y avait-il de sa part aucune indiscrétion à vouloir jeter un coup d'œil sur ce fameux courrier ? Elle avait beau se répéter qu'entre mère et fille adoptive (pratiquement adoptive), le secret n'existe pas, et que seule prévaut l'éducation, elle se sentait un peu coupable vis-à-vis de Sophia.

L'inspecteur Biely ouvrit à toute volée la porte de son bureau. Il venait de croiser la veuve Fédine qui sortait des services postaux d'un air songeur, si songeur qu'elle était passée à quelques centimètres de lui sans le voir.

Aujourd'hui, c'était jour de rat : il entendait par là qu'il irait fouiner dans les papiers et les registres qui moisissaient tranquillement dans les caves de l'administration, quand par hasard ils avaient la chance de ne pas servir de nid aux rats et aux souris.

– Où en est ton enquête ? lui demanda Pavic en entrant à son tour.

L'inspecteur Pavic avait toujours l'air fatigué dès le matin. On voyait très bien qu'il n'avait pas aidé à habiller les petits, à préparer les sandwichs pour le midi, à régler une dispute entre deux frères, à conduire les moyens à l'école, à signer le carnet de notes des grands.

– Mon enquête en est À CE QU'UNE SOPHIA NE S'APPELLE PEUT-ÊTRE PAS SOPHIA, déclara l'inspecteur Biely d'un ton emphatique.

– Passionnant, commenta Pavic.

Et il passa dans son bureau.

C'est alors que l'inspecteur Biely remarqua par terre un curieux objet, qui ne lui appartenait pas. Il s'agissait d'une sorte de rond, ou plutôt d'ovale en bois… en écorce de pin… qui paraissait taillé à la main. Sans bouger les pieds, l'inspecteur ajusta son tir et l'envoya pile dans la corbeille à papier. Pile ! Il devenait de plus en plus adroit.

Oui… mais une fois le bout d'écorce dans le panier, il se demanda ce que ça pouvait bien faire dans son bureau, et comme hélas on ne peut réaliser la même opération en sens inverse, il dut se déplacer jusqu'à la corbeille pour le récupérer. Il prit alors le temps de l'examiner sous toutes les coutures, histoire de ne pas avoir de regret.

Tiens ! une curiosité : il y avait une fente tout autour, avec une sorte de décrochement en haut et en bas.

Il glissa son doigt dans la fente et souleva.

C'était venu tout seul. Finalement, il s'agissait d'une sorte de médaillon en écorce, creusé à l'intérieur, et qui contenait… un brin de laine et un morceau de paille.

Alors ça, c'était quand même bizarre bizarre… !

À peine s'était-il prononcé le mot « bizarre » que – association d'idées directe et incontrôlée – se présenta à son esprit le visage de la petite Sophia (appelons-la comme ça pour l'instant). Un objet aussi étrange ne pouvait appartenir qu'à une personne aussi étrange. Il aurait mis sa main au feu que c'était à elle !

CHAPITRE IX

Drôle de famille

Pouah ! Les caves puaient la moisissure, le rance, avec une vague odeur d'égout qui arrivait en prime par les aérations.

Dans la section « Identité », il fallait le plus souvent manipuler beaucoup de papier, mais on finissait par arriver à ses fins. Ainsi, le mieux était de partir d'un point sûr : l'année de naissance de Léopold Fédine.

Les étiquettes étaient à moitié mangées par l'humidité, mais selon l'emplacement des rayonnages les uns par rapport aux autres et grâce aux quelques étiquettes encore lisibles, on pouvait arriver à repérer la bonne rangée.

Ensuite, par mois… Voilà novembre… Bon. F… F… F… Fédine. Fédine Léopold. Fils de Fédine

Charles et de Fédine née Grine Marina. Son mariage avec Élisabeth était noté, pas encore son décès. À partir des dates de naissance de ses parents, Charles et Marina, il fallait repérer à quelle date ils s'étaient mariés pour retrouver le bon registre de mariage. Ça ressemblait à un jeu scout, et c'était – malgré des inconvénients odoriférants – bien plus amusant que d'aller reconnaître les cadavres à la morgue.

Le registre des mariages était nettement plus aéré que celui des naissances, car on réservait une page pour chacun, de manière à pouvoir indiquer les décès, les naissances, les divorces. D'après la place disponible, on ne pouvait mourir qu'une fois, mais divorcer trois fois, se remarier cinq fois, et avoir jusqu'à vingt-cinq enfants... qui avaient chacun droit à une ligne pour décéder. L'administration était tristement bien organisée.

Oh oh ! Voilà qui était passionnant, n'en déplaise au vieux Pavic. Charles et Marina avaient eu deux enfants : Léopold et Olga. Mais... mais Charles en était déjà à son second mariage. Du premier mariage (suivi du décès de l'épouse) étaient nés deux autres enfants : Maximilien et... Irina.

Irina !

L'inspecteur Biely se frotta les mains et enfourna un chewing-gum, ce qui l'aidait à réfléchir. Il avait envie de foncer sur le registre des naissances pour y chercher Irina mais, peut-être par goût du suspense, il décida de procéder par ordre et de consulter l'état civil du sieur Maximilien Fédine.

Décédé. Douze ans auparavant. Pas marié. Décès accidentel. Tiens !

Ayant fait ce qu'il fallait pour Maximilien, l'inspecteur Biely pouvait s'autoriser à glisser vers Irina.

Dire que ses mains tremblaient en ouvrant le volume serait exagéré, mais il se sentait aussi excité qu'un loup affamé repérant un lièvre blanc sur la neige blanche.

Irina était bien là. Née deux ans après Maximilien, mariée à Alexandre Slavici. Décédée… Aïe ! décédée cette année même, il y avait six mois de cela. Où ? À Smelk. Smelk… C'était une ville, ça ?

En tout cas, mauvaise année pour la famille : trois morts ! Irina. Olga. Léopold.

Direction : registre des mariages.

Irina Fédine et Alexandre Slavici… mariés vingt ans auparavant. Naissance d'un fils deux ans après le mariage, prénommé Ivan. C'était tout. Pas de fille.

Vlan ! C'était comme si une porte venait de lui claquer au visage. Flûte et flûte ! La fille avait sans doute dit vrai : elle s'était imaginé une autre mère… sa propre tante.

Avec un soupir, l'inspecteur remit le volume en place et ressortit. Dehors au moins, on respirait.

Sacrée Sophia !...

Eh ! Pourtant, quelque chose ne collait pas : Élisabeth semblait tout ignorer de cette Irina, alors qu'en réalité elle était bel et bien sa belle-sœur ! Sans arrêter son pas, l'inspecteur Biely amorça un demi-tour sur le trottoir et pénétra de nouveau dans l'immeuble des archives.

Dans le hall était punaisée une carte immense, pas trop usée (pour la bonne raison qu'elle n'avait que deux ans : on avait dû la refaire après la guerre, quand les frontières avaient changé). Sur le côté droit, on pouvait consulter la liste des cités de leur beau pays. L'inspecteur Biely y fit glisser son doigt : S... S... Smelk. H 28.

Il chercha sur le quadrillage de la carte. Voilà... c'était là ! Au-dessous du mot Smelk, était précisé : « Camp de rééducation ».

Eh bien... !

« Camp de rééducation » était un terme optimiste pour une réalité pas vraiment enthousiasmante, qu'on aurait pu mieux définir par les mots : « Camp de déportation ». Irina était morte au camp *de rééducation* de Smelk...

Oh oh ! Voilà qui devenait intéressant.

L'inspecteur Biely demeura songeur. Ça valait le coup d'aller fouiner de ce côté-là, même si ses supérieurs (mais il ne leur en dirait rien) pouvaient juger qu'il perdait son temps dans des pistes annexes. S'instruire sur tout ce qui a fait la vie de la victime d'un meurtre n'est jamais du temps perdu.

Voyons voyons... Cela ne pouvait se trouver qu'aux dossiers secrets...

Il remontra sa carte au gardien et redescendit dans les mauvaises odeurs, encore pires (si c'était possible) au deuxième sous-sol. Là se trouvaient les dossiers secrets, et on avait raison de les y ranger : il n'y avait quasiment pas besoin de gardien, car l'atmosphère était franchement infecte. Ça puait le cadavre, l'humidité ruisselait sur les murs. Il fallait un désintéressement de saint, ou une curiosité d'enfer, pour s'y risquer.

Ici, pas de classement par année, mais des noms. Les liasses de papiers répugnants étaient tenues par des élastiques, et il y en avait tant à avoir craqué de vieillesse qu'on avait intérêt à faire bien attention pour ne rien mélanger.

Les feuillets concernant Irina Slavici, née Fédine, se trouvaient, par une chance invraisemblable (qui lui parut de bon augure), sur le dessus d'une pile. Il les retira avec délicatesse et les posa sur la table moisie réservée à la consultation, au-dessous du soupirail. Il ne fallait pas avoir peur de se salir !

Irina… oui… sa date de naissance… oui… mariée… oui… Ivan… oui… médecin biologiste… déportée pour *opinions subversives* (ça pouvait signifier qu'elle n'était pas d'accord avec le gouvernement de l'époque), *refus de coopérer et haute trahison*.

On n'en disait pas plus, sauf : « conf. dossier Alexandre Slavic ». Oui, son mari.

Le dossier était juste en dessous.

Alexandre Slavici. Médecin biologiste. Pareil ! Déporté pour les mêmes raisons, à la même date.

Du coup, la date attira l'œil de Biely : c'était l'année de la mort de Maximilien ! Décidément, dans cette famille, on avait un faible pour les mauvaises coïncidences.

« Opinions subversives, refus de coopérer et haute trahison… »

Inutile de préciser que cela ne voulait rien dire. La vraie raison de la déportation n'était pas mentionnée, et n'importe quoi pouvait se cacher derrière les quelques mots inscrits.

Finalement, Élisabeth Fédine n'avait peut-être

jamais eu connaissance de l'existence d'Irina pour la simple raison que son mari n'avait pas voulu évoquer devant elle cette honte pour la famille.

Oui, mais Sophia... Elle était au courant, elle !

Pouh ! Revenons à Alexandre Slavici : « Décédé au cours de son transfert. »

Vraiment rêvée, la vie de cette famille !

Quand l'inspecteur Biely pénétra dans son bureau, il avait encore l'impression d'avoir pataugé dans les égouts, et il avait beau se laver les mains, elles puaient toujours autant le poisson pourri.

La vraie raison de l'incarcération et de la déportation des époux Slavici ne figurerait nulle part, inutile de se faire des illusions ! Les seules sources possibles seraient les vieux, comme l'inspecteur Pavic, qui pourrait pour une fois lui être utile à quelque chose.

Il frappa poliment à la porte du vieil inspecteur.

– Dites-moi, Pavic, Léopold Fédine, vous le connaissiez ?

– Naturellement. Ici, passé un certain âge, tout le monde se connaît. J'étais très ami avec son père Charles. Charles et son sacro-saint élevage de lévriers... Des bêtes magnifiques, soit dit en passant.

– Vous savez que Léopold Fédine avait une sœur ?

– Olga, oui.

– Non, je veux parler d'Irina.

– Ah ! ça, c'est sa demi-sœur. Du premier mariage de Charles.

– Vous l'avez connue ?

– Tout le monde se connaît, ici, je vous l'ai dit !

– Comment était-elle ?

– Plutôt belle fille. Une intelligence… Son mari aussi, d'ailleurs. Mais cela a mal tourné.

– « Opinions subversives, refus de coopérer et haute trahison », dit le dossier.

– Hum… je vois que vous donnez dans l'efficacité.

– Si on veut, parce que « Opinions subversives, refus de coopérer et haute trahison », ça ne veut rien dire, vous le savez aussi bien que moi.

– Mon petit Biely, si vous tenez à votre place (il se mit à chuchoter), évitez ce genre de remarque.

– Personne ne nous écoute.

– Qu'en savez-vous ?

Biely haussa les épaules. Pour ce qui concernait d'autres pays, il avait entendu parler de micros cachés et d'espionnage téléphonique mais, chez eux, on avait déjà à peine les crédits pour acheter du papier et on était prié de le remplir du haut en bas, en écrivant petit.

– Vous, reprit-il, vous avez vécu cette époque…

L'inspecteur Pavic appuya son menton dans sa main et contempla son adjoint :

– Vous voulez me demander si je sais quelque chose sur les vraies raisons ?

– Tout juste.

– Et cessez de mâcher ce chewing-gum, ça m'énerve !

L'inspecteur Biely ôta son chewing-gum de sa bouche et le colla dans sa paume pour le récupérer par la suite (il était loin d'être fichu, inutile de gaspiller).

– Alors, reprit l'inspecteur Pavic, à ma connaissance, Irina et son mari ont été accusés d'avoir refusé de livrer le secret d'une nouvelle bactérie qu'ils avaient découverte et qui pouvait se montrer précieuse pour la fabrication d'une bombe bactériologique.

– Ça fait quoi, ça ?

– Ça fait des dégâts. La bombe ne vous tue pas sur le coup, mais vous refile une terrible maladie qui vous liquide en un rien de temps. Voilà qui pourrait raser tout un pays de la carte. Et même les pays voisins, parce qu'on n'a pas encore réussi à enseigner aux microbes le respect des frontières.

– Eh bien ! Pas mal pour se défendre… Sauf, évidemment, si c'est ceux d'en face qui l'utilisent contre nous. On peut comprendre que les Slavici aient préféré garder leur secret.

– « Trahison. Refus de coopérer. »

– Mais s'ils n'ont rien dit, comment l'a-t-on su ?

– Ah ça ! Dénonciation !

– Pour dénoncer, il fallait déjà savoir, donc ils avaient parlé à quelqu'un de leur découverte !

Pavic haussa les épaules.

– Si ça se trouve, c'était un faux bruit, ils n'avaient peut-être rien découvert. Lors des interrogatoires, ils ont nié tout le temps… Et pourtant, on ne les a pas épargnés, l'homme en est même mort.

– « Pendant le transfert ».

– Oui, c'est peut-être ce qui est écrit. On ne va pas inscrire : « Mort à la suite de sévices lors de l'interrogatoire. »

– Mais enfin, s'ils n'ont rien découvert, pourquoi les aurait-on dénoncés ?

– D'abord, je n'ai pas dit qu'ils n'ont rien découvert, puisque je n'en sais pas le premier mot ; ensuite, pour ce qui est de la dénonciation, il suffisait que quelqu'un leur en veuille.

– Leur en veuille à mort, alors. Ils avaient des ennemis ?

– Je ne vois pas de raison. Je les connaissais bien. C'étaient des savants, tranquilles, toujours à travailler, gentils avec tout le monde. Des ennemis ? Je ne vois pas de raison.

– Des jaloux ?

– Dans une petite ville comme ici, ils étaient les seuls médecins-chercheurs. Pour le reste, on ne sait pas. Les savants ont des rapports permanents avec d'autres savants, ailleurs... Enfin, c'est une affaire triste et compliquée.

Voilà qui n'avait pas vraiment fait avancer les choses. L'inspecteur Biely ressortait quand il sentit dans sa poche la tétine de son plus jeune frère, Marcus. Eh bien ! Ça allait hurler à la maison quand on s'apercevrait que la suce magique avait disparu !

Il se retourna soudain :

– Eh ! Pavic ! J'y pense : il y avait un enfant... Ivan je crois.

– Ivan, oui. On l'a envoyé dans un orphelinat, comme toujours dans ces cas-là.

– Qu'est-ce qu'il est devenu ?

– Alors ça, mystère.

L'inspecteur Biely posa la tétine sur son bureau et demeura pensif. Sophia, Olga, Irina... Olga avait parlé d'Irina à Sophia, et Sophia avait idéalisé sa tante au point de s'en faire une mère.

Parce que, c'était évident, Sophia ne pouvait pas être la fille d'Irina !

L'inspecteur porta la tétine à son nez. Pouark ! Elle puait les fonds de fosse. Il ne pourrait jamais la rendre ainsi à Marcus ! Et s'il en achetait une autre, ça ne serait jamais aussi bien : Marcus voudrait sa « titine ».

Biely alla jusqu'au lavabo, le remplit d'eau, y fit dissoudre du savon et y laissa tomber la tétine.

Et pourquoi Sophia ne pourrait-elle pas être la fille d'Irina ? Irina était peut-être enceinte quand elle avait été déportée. Et alors, la fillette serait née là-bas, au « camp de rééducation » de Smelk.

Bon sang ! Sophia était née à Smelk, il en aurait mis sa tête à couper.

Il songea soudain au petit médaillon d'écorce contenant un fil de laine et un brin de paille. Il était à elle. Il ne pouvait être qu'à elle.

CHAPITRE X

L'héritage des Fédine

– Le point de croix est très simple, expliqua tante Élisabeth. Tu vois, tu imagines que ton ouvrage est une succession de petits carrés. Tu piques par le dessous dans le coin à gauche de ton carré, tu sors le fil, tu piques en haut à droite : tu as une demi-croix. Tu ressors en bas à droite, puis tu replonges en haut à gauche : tu as une croix.

Nini leva la tête.

– Je pense qu'on a frappé, traduisit Sophia.

Tante Élisabeth posa son ouvrage avant d'aller jeter un coup d'œil par la fenêtre.

– C'est encore l'inspecteur. Décidément, il ne sait vraiment pas demander tous les renseignements en même temps ! Veux-tu lui ouvrir ?

Sophia se leva sans hâte. L'inspecteur ne lui était pas antipathique, mais elle craignait un peu son regard inquisiteur et sa manière de poser les questions.

– Bonjour, Sophia... C'est bien Sophia, n'est-ce pas ?

Aucune réponse.

– Ta tante est là ?

Sophia remarqua que l'inspecteur la tutoyait, et elle ne sut décider si c'était rassurant ou inquiétant.

– Entrez ici ! lança tante Élisabeth depuis le salon.

Sans hésitation, l'inspecteur Biely pénétra dans la pièce et referma aussitôt la porte derrière lui, au nez de Sophia qu'il excluait ainsi de la discussion.

Soucieuse, la fillette s'assit sur les marches de l'escalier et attendit. Rien ne filtrait de ce que les deux adultes se disaient. Elle enfila son manteau et sortit : moins elle rencontrerait l'inspecteur, mieux elle se porterait.

– Madame Fédine, vous m'avez bien dit que Sophia venait de perdre sa mère et que vous l'aviez recueillie. Pouvez-vous m'en expliquer les circonstances ?

– Nous avons reçu un message de l'administration du canton où vivait Olga, et qui venait d'être prévenue de son décès. Mon mari s'y est rendu. Sophia étant désormais seule, comment faire autrement que de la recueillir ?

– Sophia est bien la fille d'Olga, vous en êtes sûre ?

– Je sais pertinemment qu'Olga avait une fille de onze ans, nommée Sophia.

– Et il s'agit bien de la jeune fille que vous avez recueillie ?

– Nous n'avions pas vu Sophia depuis qu'elle était bébé, mais la ressemblance de la petite avec Olga est frappante.

– Votre mari avait-il d'autres frères et sœurs ?

– Aucun.

– Pourtant, il avait au moins un frère…

– Aucun.

– … nommé Maximilien.

– Quelle idée !

– … décédé voilà douze ans. Ne dites pas non, c'est inscrit sur les documents de l'état civil.

– Je ne vous comprends pas.

– C'était en réalité un demi-frère.

– Ah ! C'est pour cela que Léopold ne m'en a jamais parlé !

Mais en prononçant ces mots, Élisabeth songea que ce n'était tout de même pas très normal. Un frère ?

– Il avait également une demi-sœur, Irina, décédée aussi.

Élisabeth en resta bouche bée.

– Cette maison vous appartient ?

L'inspecteur Biely aimait bien les coq-à-l'âne, ça désarçonnait les interlocuteurs et les empêchait de dissimuler un éventuel trouble.

Il lui sembla que la veuve Fédine ne dissimulait rien, qu'elle était seulement un peu ahurie.

– Euh… oui. Elle appartenait à mon mari.

– Il l'avait achetée ?

– Elle lui venait de ses parents.

– Bien. Pouvez-vous me dire d'où vous tirez vos revenus ?

– C'est indiscret.

– C'est l'enquête.

– Je ne vois pas… Enfin, moi, j'ai une petite pension de l'héritage de mes parents, et mon mari élevait des chiens.

– Beaucoup ?

– Bon an mal an, il vendait deux portées de barzoïs par saison.

– Très cher ?

– Mon Dieu… Pas tellement.

Élisabeth Fédine était en train de songer que le produit de ces ventes mises bout à bout ne faisait pas un revenu très consistant, et que les « valeurs » gardées au coffre par son mari avaient dû largement contribuer à leur aisance. Quelles valeurs ? Combien en restait-il ? Cela ne regardait pas l'inspecteur. Elle n'en dit rien.

– Quand votre mari a-t-il hérité ?

– Mon beau-père est mort voilà dix ans, peu après notre mariage.

Bon, se dit l'inspecteur. Maximilien était déjà décédé et Irina dans sa lointaine villégiature, certainement déchue de ses droits.

– Olga, demanda-t-il, de quoi a-t-elle hérité ?

– D'une ferme.

– Une ferme qui la faisait vivre ?

– Une grosse ferme, d'un assez bon rapport... Malheureusement, je crois qu'Olga ne l'a pas mise en valeur et, les derniers temps, elle n'y faisait plus rien, elle buvait trop. Une ferme ne possède guère de valeur en soi, seul le travail qu'on y produit lui en donne... C'est comme les chiens.

– À ce propos, reprit l'inspecteur, qui s'occupe actuellement des chiens ?

– Grégoire, le gardien.

– La petite va hériter de la ferme, sans doute.

– Je ne sais... Sans doute, oui, d'autant qu'elle n'a ni frère ni sœur.

L'inspecteur fit quelques pas dans la pièce et s'approcha de la grande chienne qui somnolait près du feu.

– Elle s'appelle Nini, l'informa Élisabeth.

– C'est un barzoï ?

– Bien sûr.

L'inspecteur observa un moment la bête avant de se retourner vers la grosse femme :

– Dites-moi, madame Fédine, cette petite, la fille d'Olga, vous paraît-elle… ?

Il n'osa pas prononcer de mot, de peur d'influencer la tante. Il se reprit :

– Comment vous paraît-elle ?

– Ma foi… un peu sauvage. Elle mange peu, ne parle jamais d'elle-même, ni de son enfance, ni de sa mère, encore moins de son père – mais il est vrai qu'elle ne l'a guère connu. Le mari d'Olga est mort au début de la guerre, elle était toute jeune. Elle refuse que je l'aide à se laver ou à s'habiller, refuse d'aller à l'école – où elle n'a jamais mis les pieds –, refuse de voir un médecin… Et pourtant, par certains côtés, c'est une jeune fille tout à fait charmante. Secrète mais charmante.

« Secrète mais charmante… », se répétait l'inspecteur Biely en se dirigeant d'un pas distrait vers son bureau.

Du discours de Mme Fédine, il avait retenu principalement trois choses :

Son mari lui avait caché Maximilien et Irina. Pour Irina, ce pouvait être, à la limite, compréhensible.

Sophia se trouvait chez Olga, elle lui ressemblait... Toutefois Irina était la sœur d'Olga et il ne paraissait pas invraisemblable qu'une fille ressemble à sa tante.

La petite refusait de montrer son corps à sa tante, ou à un médecin : il aurait parié qu'elle voulait dissimuler un tatouage, de ceux qu'on fait aux prisonniers des camps de rééducation.

Malgré tout ce que la tante avait pu affirmer de contraire, il votait pour Sophia fille d'Irina... Sauf que, dans ce cas, elle ne s'appelait pas Sophia.

Maria ? Anna ? Alexandra ? Catherine ? Léonore ?

Mais si elle n'était pas Sophia, où était donc la vraie Sophia ?

Il y avait un quatrième point intéressant : l'héritage. Quand arrive un drame, il n'est pas inutile de regarder du côté des biens. L'inspecteur Biely avait été stupéfait, à ses débuts dans la profession, de découvrir le nombre invraisemblable de drames déclenchés par le seul appât du gain. Argent. Avoir. Posséder.

Crimes et abominations.

Heureusement, cela ne le guettait pas : son père n'était plus de ce monde, et si par malheur sa mère mourait (le ciel les en préserve !), ils hériteraient à eux seize de quelques paires de draps, torchons usés, souliers vernis du dimanche, une grande table, un buffet bas, des tringles à vêtements, six lits… et une chaise chacun.

Que le ciel veille sur eux tous !

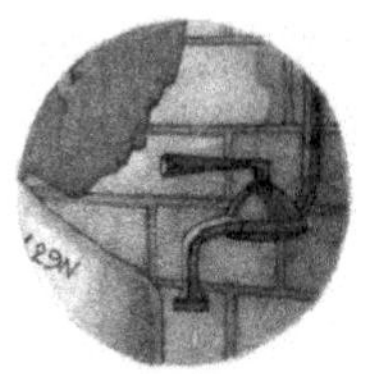

CHAPITRE XI

Smelk

Cette histoire de tatouage turlupinait l'inspecteur. Il reconnaissait humblement que rien de tout cela ne paraissait avoir de lien direct avec le crime, mais la petite Sophia (?), son arrivée inopinée dans la maison Fédine quelques jours à peine avant le drame, était le seul élément remarquable, avec bien sûr l'affaire Maximilien et Irina.

C'est tout songeur qu'il pénétra chez son voisin Pavic et, sans même prendre le temps de s'informer (par pure politesse) de sa santé, il demanda :

– Une fillette née en camp de rééducation pourrait-elle porter un tatouage ?

– Ma foi, je n'en sais fichtre rien ! Ce serait étonnant, tout de même, si elle n'est pas personnellement condamnée.

– Smelk… Il faudrait arriver à consulter les registres de Smelk.

– Smelk, dis-tu ? C'est là que les Slavici ont été envoyés ? Dans ce cas, pas besoin de registre – d'autant que les registres omettent toujours les renseignements importants.

– Chut ! Si on vous entendait… plaisanta Biely.

Inconsciemment, Pavic baissa la voix :

– J'ai mieux que du papier : j'ai Ferdinand. Mon vieux copain Ferdinand. Il était inspecteur comme toi, ici, et un jour, il a confondu pour meurtre le chef de… enfin, peu importe qui. Disons une personnalité. Officiellement, il a été félicité d'avoir su faire appliquer la justice, officieusement on l'a envoyé continuer sa carrière comme garde-chiourme au camp de Smelk.

– Cristi ! Il nous parlerait ?

– Je pense que oui. Il est en retraite maintenant et se moque de tout. À mon avis, il parlera mieux qu'un registre.

– Je vais le voir.

– N'en fais rien : si on t'aperçoit chez lui, ça peut paraître louche. En revanche, s'il vient ici rencontrer ses vieux copains, cela n'attirera l'attention de personne. Je vais l'appeler.

L'inspecteur Biely rentra dans son bureau et nota (dans le haut d'un papier, en tout petit) :

– *Voir du côté de l'héritage.*

– *Voir du côté du gardien du chenil.*

– *Rapporter la tétine de Marcus à la maison.*

– *Savoir de quoi Maximilien est mort.*

– *Savoir pourquoi Olga buvait.*

… Ça, pas facile : elle seule aurait pu le dire. L'inspecteur raya finalement la rubrique, et écrivit à la place :

– *Rentrer de bonne heure* (pour permettre à sa mère d'aller chez le dentiste) *et acheter des pâtes* (c'était ce qui cuisait le plus vite. Pratique en l'absence de sa mère pour gaver les estomacs braillards).

L'ex-inspecteur Ferdinand – il n'avait pas dit à Biely son nom de famille, ces longues années ayant ancré en lui une prudence peut-être exagérée – était un homme ordinaire, plutôt petit, couleur de muraille.

Il commença par prendre toute précaution pour s'assurer que rien de ce qu'il dirait ne sortirait de ces bureaux, et souhaita ne répondre qu'à une seule personne, non qu'il se méfiât de son vieux copain Pavic, au contraire, mais par habitude de discrétion. Pavic comprenait, et puis, après tout, il n'était pas chargé de l'enquête.

Quand Ferdinand réalisa qu'on voulait lui parler d'Irina, il se tendit un peu plus.

– Bien sûr que je la connaissais, avoua-t-il prudemment, nous étions tous deux d'ici.

– Mais vous l'avez vue à Smelk ?

– … Oui.

– Savez-vous quelque chose sur les raisons de son inculpation ?

– Rien que les raisons officielles. Vous les connaissez ?

– Oui, mais… Irina ne vous a jamais fait aucune confidence à ce sujet ?

Ferdinand considéra l'inspecteur Biely d'un air surpris :

– Les prisonniers, dit-il enfin, sont encore plus méfiants que moi. Jamais ils ne confieraient le moindre renseignement à un gardien, même bienveillant. On ne sait jamais dans quelle oreille va parvenir le soupir que l'on pousse.

L'inspecteur Biely n'insista pas. La confiance dans les autres lui avait toujours paru un élément si essentiel à la qualité de la vie ! Il se sentit plein de pitié pour cette Irina qu'il n'avait jamais vue. Il hésita un instant avant de poser la question suivante, de laquelle dépendait… son honneur de « penseur ».

– Irina avait une fille…

– Oui. Comment le savez-vous ? Elle n'a jamais été inscrite à l'état civil !

– Laissons...

Ouf ! Il n'était pas complètement idiot.

– Pauvre petite ! reprit Ferdinand. Elle est née au début de l'incarcération de sa mère. Je me rappelle très bien, c'était le seul bébé de Smelk. On a tous cru qu'elle ne résisterait pas, parce qu'avec le régime du camp, sa mère ne risquait pas d'avoir beaucoup de lait. Elle a tenu, la petite Anouchka.

Anouchka ! Pas Sophia, ni Maria, ni Catherine... Anouchka !

– Et on l'a gardée au camp ?

– C'est vrai. On n'aurait pas dû. La loi veut qu'un nourrisson reste avec sa mère jusqu'à deux ans. Ensuite, on doit le confier à un orphelinat. Le directeur de l'époque se moquait bien de ce bébé, il n'a fait aucune démarche pour la faire transférer. C'était loin, compliqué, et personne n'en parlait jamais.

– Vous non plus.

– Non. Irina tremblait qu'on lui enlève son enfant. Moi, je n'aurais pas eu le cœur de le faire, tout en sachant que ce n'était pas un bien pour une gosse de grandir dans cette misère affreuse, enfermée derrière des barbelés. Quelle vision du monde pouvait avoir cette petite ?

– On l'a laissée partir à la mort de sa mère ?

– Non, du tout !... Voyez-vous, il s'est passé une chose... Enfin, un jour, il y a eu une visite des contrôleurs. Le directeur s'est alors avisé qu'il avait commis une faute professionnelle en gardant Anouchka. Comment s'en tirer ? Du coup, la veille du contrôle, il l'a internée officiellement.

– Internée... personnellement ? Et il n'avait pas besoin d'un motif ?

– Si. Aussi, il a inscrit sur le registre : « rébellion ».

Rébellion ! Interner une gosse sous ce motif ! Et ça passait ! Dans ces conditions, l'inspecteur Biely ne voyait pas un seul de ses frères et sœurs qui aurait pu y échapper !

– Attendez... On l'a tatouée ?

– Bien sûr. À l'épaule. Numéro A0629N. Je le sais par cœur. Quand je la voyais se laver au lavabo, je lisais ce numéro et j'en avais mal au cœur. Le directeur, je ne sais s'il avait des remords, ça n'était pas son genre, mais peut-être quand même, car il expliquait sans cesse que c'était le mieux, que de toute façon la petite n'avait rien connu d'autre et ne s'adapterait pas dans le monde. Que de plus, si elle sortait, elle risquait de raconter qu'on l'avait gardée illicitement, et cela nuirait à tous. Il faut dire qu'à cause de son jeune âge, on ne pouvait pas lui faire signer, comme à tous ceux qui étaient relâchés, la promesse de ne rien révéler de la vie du camp.

– Quand est-elle sortie ?

Biely se rendit subitement compte que Ferdinand le considérait fixement et se mordit la lèvre : il venait de commettre une énorme bévue, Ferdinand saurait que…

– Comment savez-vous qu'elle est dehors ?

– Je n'en sais rien !

Ferdinand fixa Biely dans les yeux :

– Vous le savez, martela-t-il.

Puis il soupira, s'appuya d'un air las au dossier de sa chaise, et reprit d'un ton d'instituteur faisant la leçon à un de ses élèves :

– Inspecteur Biely, je vous ai dit certaines choses, avec l'assurance qu'elles ne sortiraient pas d'ici. Vous pouvez avoir de même l'assurance que rien de ce que vous me direz ne passera mes lèvres. La petite est en ville, n'est-ce pas ?

– Oui, souffla Biely à regret.

Ferdinand hocha la tête :

– J'en suis heureux et soulagé. Quand elle est partie, j'avais si mal au cœur, si peur pour elle. Elle était…

Voyez, inspecteur, j'aurais bien aimé avoir une fille comme elle.

Il songea à toutes les fois où il avait laissé tomber près d'elle un chiffon, dont elle pourrait s'envelopper les jambes pour survivre au froid de l'hiver, ou bien les pieds, pour ne pas perdre à chaque pas ses chaussures en caoutchouc, beaucoup trop grandes pour elle.

Il songea au jour où il avait obtenu qu'on remplace, avant les tempêtes, les carreaux cassés de la hutte des femmes, un bouge humide, à demi creusé dans la terre, dont on devait dégager la porte à grands coups de pelle dès qu'il y avait de la neige.

Il songea à la bouteille de désinfectant qu'il avait réussi à lui mettre de côté, et dont elle pouvait se frotter les mains à chaque fois qu'elle travaillait au nettoyage des peaux des bêtes atteintes de brucellose, pour éviter de contracter la terrible maladie.

Biely eut l'impression que Ferdinand allait essuyer une larme, aussi, pour lui sauver la mise, il demanda très vite :

– Comment est-elle partie ?

– La nuit suivant la mort de sa mère. Avec un autre prisonnier qui était très ami avec Irina. Ils ont profité du moment pourtant extrêmement court où l'on rassemble les gardiens et leurs chiens pour redistribuer les tours de garde, et ils ont rampé sous les barbelés. Ce n'est que le lendemain matin qu'on s'est aperçu à la fois de la mort d'Irina et du départ de la petite.

Anouchka... Le destin était d'une injustice insupportable.

– Elle est chez son oncle Léopold ?

Biely ne répondit pas.

– Je vois que oui, conclut Ferdinand.

Il se pencha au-dessus du bureau et ajouta d'une voix sourde :

– Je vous en prie, inspecteur Biely, ne faites rien contre elle. Elle a assez souffert sans jamais avoir commis la moindre faute qui lui vaille ce sort.

– Ne vous en faites pas, Ferdinand, je ne toucherai pas à un seul de ses cheveux. J'essaye seulement de comprendre si la mort de Léopold a quelque chose à voir avec le retour de la petite.

– Léopold est mort ? Léopold Fédine ?

– Assassiné.

– Mais ce n'est pas elle, ça ne peut pas être elle !

– Calmez-vous, Ferdinand. L'idée qu'elle ait pu tuer son oncle ne m'a jamais effleuré. D'ailleurs, une petite fille n'enfonce pas un couteau jusqu'à la garde dans le corps d'un adulte grand et fort. Toutefois... Dites-moi, voyez-vous un rapport entre l'histoire d'Irina et la mort de Léopold ?

– Ma foi non, aucun. Croyez-moi, cherchez le coupable d'un autre côté !

– De quel côté ?

– Je ne sais… Du côté des chiens par exemple… J'ai toujours eu l'impression que les chiens étaient ce à quoi les Fédine attachaient le plus d'importance.

Des chiens !

L'inspecteur Biely imagina un lévrier barzoï dressé sur ses pattes de derrière, en train d'assassiner son maître d'un coup de couteau, et l'image lui arracha un sourire.

Bon sang, la tétine ! Il l'avait oubliée dans l'eau savonneuse, et elle avait une mine effrayante, toute ramollie et déformée.

Aïe aïe aïe… Le drame pointait !

CHAPITRE XII
La fortune de Léopold

L'inspecteur Biely déposa trois de ses frères et deux de ses sœurs (les six-onze ans) à l'école primaire et eut la joie de pouvoir faire un petit signe de main à la maîtresse des « moyens », qui s'appelait Maria et qui était si jolie. Il allait peut-être bien devenir adhérent de la « Fondation pour les pauvres » où elle militait, histoire de la voir plus souvent. Car comment trouver une excuse pour parler à une fille qui vous plaît ? Et d'ailleurs, pourquoi fallait-il une excuse ? Pourquoi ne pouvait-on aborder une jeune fille et lui dire : « Je vous trouve formidable, est-ce que vous voulez venir chez moi, pour qu'on fasse connaissance ? » Bon, c'était impossible. Dommage !

L'inspecteur Biely en était là de ses réflexions,

lorsqu'il se rendit compte qu'il venait de passer devant l'administration de l'état civil et que, justement, c'est là qu'il voulait s'arrêter. Rien que l'idée du subtil parfum des sous-sols lui souleva le cœur et, à vrai dire, c'était peut-être pour cette seule raison qu'il avait laissé traîner la petite vérification qu'il s'était promise. Il n'en attendait pas grand-chose, mais sait-on jamais ?

La section des permis d'inhumer était peut-être la pire de toutes, parce qu'elle n'était jamais fréquentée, ou si rarement… Il fallait un rat de poubelle comme lui pour s'y intéresser.

Il remonta les années qui menaient douze ans auparavant : le dossier de Maximilien Fédine devait se trouver par là. Ce bon Maximilien avait eu la délicatesse de mourir l'année où sa sœur était partie en camp de rééducation. Était-il mort de chagrin ? De honte ? De remords ?

Voyons… Ce brave Maximilien était mort… d'un accident d'automobile.

Non pas qu'il possédât lui-même ce genre de véhicule, mais il s'était fait renverser, tandis qu'il marchait sur le bord de la route, par un chauffard conduisant une voiture automobile, et qui n'avait pas été identifié.

Donc, pas quelqu'un du coin (il n'y avait pas tant de possesseurs de ces engins coûteux).

Ou alors quelqu'un de trop important, ou influent, pour qu'on puisse l'inquiéter…

Ou alors personne n'avait rien vu, et personne n'avait donc pu décrire l'automobile.

Il était mort… Ah ! En début d'année… Il n'avait même pas su l'aventure d'Irina, arrêtée en novembre.

Tué par une voiture…

Olga, crise cardiaque. Léopold, coup de couteau. Irina, déportation. Ambiance terriblement conviviale, dans cette famille !

Ce qui était tout de même frappant dans ces affaires, c'était l'absence de coupables, au moins pour trois d'entre eux… bien que la crise cardiaque puisse faire un honorable quatrième et avoir été provoquée.

Enfin, n'exagérons pas.

Voiture. Voiture égale chauffeur, égale coupable. Accidentel ? Volontaire ?

Qu'en déduire ? Mystère.

Il fallait maintenant regarder du côté du mariage d'Olga.

Olga… Zinik… naissance de Sophia… Tiens, tiens ! Intéressant…

L'air du dehors rafraîchit vraiment les idées de Biely. Bien. Que déduire de tout cela ?

Qu'Irina, au volant d'une voiture, avait tué Maximilien et que quelqu'un avait vengé le mort en la dénonçant pour dissimulation de secrets ?

Dans ce cas, il l'aurait dénoncée comme conductrice, et non comme savant.

Qu'une même personne avait tué Maximilien et éloigné Irina ? Plausible.

Il y avait aussi bien sûr une option « aucun rapport entre les deux événements ».

Voyons voyons… Ces deux « absences », de Maximilien et d'Irina, pouvaient-elles arranger quelqu'un ?

Dans la mesure où ils étaient frère et sœur, tous deux du premier mariage, cela aurait pu faire les affaires du reste de la famille.

Famille, héritage. Héritage, notaire. Notaire, celui du quartier.

Les notaires n'aiment pas beaucoup parler des affaires de leurs clients. Même devant une carte de police, celui-ci ne lâchait les renseignements que du bout des dents, comme un chien à qui on voudrait retirer un os de la gueule.

L'héritage des Fédine, oui, c'est bien lui qui l'avait géré. À qui revenaient les biens de Léopold aujourd'hui ? Mon Dieu... à sa veuve, puisqu'il n'y avait aucun autre héritier et pas de testament.

– Même pas des neveux ou nièces, des enfants de ses frères et sœurs ?

– Aucun.

– Et Irina ?

– Déchue de ses droits à l'héritage pour elle et ses enfants, si elle en avait.

– Écoutez-moi bien, ce que vous allez me répondre est important : y a-t-il eu quelque chose de particulier dans la succession du père, Charles Fédine ?

– Vous me posez une drôle de question, inspecteur : quand on vient me voir pour une enquête sur un crime, c'est pour savoir qui hérite, et non pas de qui la victime a hérité !

– Si vous le permettez, c'est moi qui en décide. Alors ?

– Alors rien. Seuls les deux enfants vivants – et non déchus, c'est-à-dire Léopold et Olga – se sont partagé les biens.

L'inspecteur Biely se sentit découragé.

– Attendez, se reprit-il soudain, si les autres avaient vécu, que se serait-il passé ?

– Que voulez-vous qu'il se passe ? Ils auraient eu leur part, voilà tout.

Le notaire s'interrompit brutalement, puis, se ravisant :

– Non, ce n'est pas vrai. Maximilien et Irina étaient tous les deux nés d'un premier mariage. Or, tous les biens, la ferme, la maison, le chenil, appartenaient en réalité à la première femme de Charles, leur mère.

– Vous voulez dire que les biens constituaient en principe uniquement l'héritage de Maximilien et d'Irina, pas des deux autres ?

– En fait oui… s'ils avaient vécu. Mais par suite de leur disparition de la succession…

– Ce sont les deux autres, Léopold et Olga, qui ont tout eu.

– C'est exact, confirma le notaire non sans une certaine réticence.

Les complications l'agaçaient et il était clair que, du point de vue d'une enquête de police, un tel élément pouvait jouer un rôle. Déjà, lors de l'internement d'Irina, qui suivait de peu la mort de Maximilien, les langues s'étaient agitées. Lui, il voulait s'en tenir aux faits : les papiers étaient en règle, c'est tout ce qui importait. D'ailleurs, c'était le vieux Charles Fédine lui-même qui lui avait fait modifier son testament après la disparition de ses deux aînés. Il se rappelait son chagrin, son désespoir de voir sa fille internée. Il voulait prendre avec lui le petit Ivan, mais il n'en avait pas eu le droit : la famille directe pouvait être jugée complice des deux savants. On allait « protéger » le petit Ivan des mauvaises influences en l'envoyant à l'orphelinat.

Tout en remontant vers la maison, l'inspecteur Biely réfléchissait. Les biens de Léopold iraient à sa femme, mais il ne croyait pas une seconde qu'Élisabeth Fédine ait assassiné son mari. Ces biens revenaient à Élisabeth pour la simple raison qu'il n'y avait pas d'autre héritier, même pas Anouchka, la dernière des Fédine…

Quand il ouvrit la porte de la maison, son petit frère Marcus lui sauta dans les bras. D'un geste sûr, il le cala sur sa hanche et lui posa un baiser sur la tempe. Marcus sentait bon le bébé et le savon, et ses fins cheveux blonds tout bouclés étaient doux et tièdes.

– Tu rentres de bonne heure ! constata sa mère qui finissait de laver Carla, l'avant-dernière, dans la grande bassine de zinc.

– Je sors de chez le notaire, je n'avais pas assez de temps pour repasser au bureau.

La mère essora une grosse éponge pleine d'eau au-dessus du dos de Carla avant de demander :

– À propos de la mort de Fédine ?

– Ah ! Tu sais ça, toi ?

– Heureusement que les bruits courent, poursuivit-elle d'un ton un peu fâché, parce que de mon propre fils, qui se trouve pourtant aux premières loges, je ne risque pas d'apprendre grand-chose.

– Maman ! s'exclama Biely avec un soupir, c'est mon métier ! Je suis tenu au secret.

– Même avec ta mère ?

– Oui maman, expliqua patiemment l'inspecteur. Même avec ma mère.

Maria Biely se renfrogna, ce qui donna à son visage rond et d'ordinaire jovial un air juste un peu agacé. Elle était très fière de son aîné, mais elle ne l'aurait avoué pour rien au monde.

– Si tu veux mon avis, commenta-t-elle, il a eu ce qu'il avait cherché.

L'inspecteur leva des yeux surpris.

– Que veux-tu dire ?

– Celui qui prend le glaive périra par le glaive.

– Oh ! Maman, explique-toi, tu l'as connu ?

– Je l'ai connu ?… Évidemment, que je l'ai connu. Au lieu de tout cacher à ta mère, tu ferais mieux de la consulter. Elle sait tout sur la ville mieux que toi, surtout sur les vieux et leurs vieux ragots.

– De quels ragots veux-tu parler ?

La mère ne dit rien pendant un moment, histoire de se faire prier, puis elle n'y tint plus :

– Quand Irina a été dénoncée…

– Tu connaissais aussi Irina ?

La mère prit un air excédé : évidemment, qu'elle connaissait Irina !

– Quand elle a été dénoncée, tout le monde a pensé que c'était Léopold ou Olga.

L'inspecteur demeura interloqué : il était arrivé à cette même présomption après des jours d'enquête, et sa mère la lui servait toute chaude sans la moindre recherche, et sans se frotter aux documents moisis de l'état civil.

– À cause de l'héritage ?

– Évidemment.

Les « évidemment » de sa mère n'étaient peut-être pas si évidents.

– Tu sais, l'héritage, ce n'était rien d'énorme : une maison et une ferme. Est-ce qu'on tue pour quelques murs ?

– Seulement une maison et une ferme ? s'étonna la mère.

– Plus quelques chiens.

– Ah !

La grosse femme semblait un peu désarçonnée.

– Tu croyais qu'il y avait autre chose ? demanda Biely.

Elle sortit la petite du bain, l'enveloppa dans une serviette avant de conclure :

– On disait que Charles était très riche… Une fortune venant de sa première femme.

– Pas tant que ça, tu vois.

Maria Biely dodelina de la tête.

– Évidemment, reconnut-elle, ça change tout. Les bruits qui courent… D'ailleurs, ça m'avait toujours étonnée, car si Léopold avait hérité de biens aussi considérables, il aurait vécu de manière plus tape-à-l'œil, et sa femme…

– Tu connais bien sa femme ?

– Comme ci comme ça : elle n'est pas d'ici, elle vient de la capitale. Je disais : sa femme aurait porté des robes plus riches et ils auraient eu une automobile.

– Ils n'en ont jamais eu ?

– Jamais.

Bon… Eh bien voilà qui semblait éliminer la culpabilité possible de Léopold dans la mort de Maximilien.

La mère vida l'eau du bac dans les W-C, puis elle s'informa :

– Qui hérite de Léopold ?

– Sa femme, qui veux-tu d'autre ?

– Je ne sais… Ivan, peut-être.

Ivan ! Il l'avait oublié, celui-là !

– Ses parents étant déchus de leurs droits, il ne peut hériter.

– Pfff… Dommage pour lui, pauvre petit. Il était juste de l'âge de notre Charlotte. Dix-huit ans cette année. Personne n'a jamais su ce qu'il était devenu.

Bon sang ! Bien sûr ! Anouchka avait un frère, même si elle ne l'avait jamais vu.

… Jamais vu ? Depuis la fenêtre de son bureau, est-ce que ce n'était pas lui qu'elle avait aperçu sur le trottoir ?

Bon sang de bon sang, il fallait qu'il sache ce qu'était devenu ce gosse !

CHAPITRE XIII

Des lévriers

– Alors, Biely, demanda Pavic, Ferdinand a-t-il pu t'aider ?

– À comprendre certaines choses dans la vie des Fédine, oui. Pour le reste…

– Ton enquête n'avance pas ? La piste « Irina » ne donne rien ?

– Ferdinand me conseille de voir du côté des chiens, tu parles ! Tuer pour quelques chiens !

– Hum… Il est vrai que l'élevage d'aujourd'hui ne peut guère soulever les passions. Avec l'arrêt des courses de lévriers, depuis la guerre, il n'a plus grand intérêt. Il doit rester quelques lices et deux ou trois mâles.

– Des lices ?

Pavic se mit à rire :

– Je vois que tu ne connais rien aux chiens. Les lices sont les femelles, quand on parle de chiens de chasse.

– Les lévriers barzoïs sont des chiens de chasse ?

– Oui, Biely, oui. Toutefois, on ne les utilise plus guère à la chasse. L'élevage du vieux Charles Fédine, on aurait pu dire qu'il s'agissait d'une véritable écurie : il entraînait ses chiens à courir, et ils étaient parmi les meilleurs. Ils en ont remporté, des trophées ! Le chenil des Fédine, c'était une vraie gloire... Tiens ! Amazone, je me rappelle, c'était la favorite du vieux, et sa sœur Azale, la plus rapide de tous ! Des vedettes... Et Aliocha, une magnifique rousse.

– Rien que des noms en A ?

– Oui, ils étaient de la même portée. Une portée de sept ou huit, si je me souviens bien. Tous des cracks, mais trois seulement (ce qui n'est déjà pas mal) étaient des champions internationaux.

Biely faillit enfourner un chewing-gum et se retint à temps. Il le remit sagement dans sa poche.

– Il a dû les vendre un bon prix, supputa-t-il.

– Les vendre ? Le vieux Charles n'a jamais vendu un seul chiot en A. Il disait que Dieu l'avait favorisé en lui envoyant cette portée, et que le malheur pourrait s'abattre sur l'élevage s'il en vendait un seul.

– Superstitieux, le vieux.

– Oh ! Ce n'était pas non plus un mauvais calcul : les enfants des A avaient des chances, eux aussi, de se vendre très cher, et ils ont eu de nombreuses portées. Et puis il aimait tellement ses chiens ! Chez les Fédine, on aime plus les chiens que les gens.

L'inspecteur Biely s'assit à son bureau. Il sentait qu'il avait entre les mains des tas d'éléments, mais qu'il ne parvenait pas à trouver les bonnes connexions entre eux. Une maison, une ferme, quelques chiens, de grande valeur, certes… Assassinerait-on son frère et déporterait-on sa sœur pour cela ?

Et le meurtre de Léopold, aujourd'hui que les chiens ne rapportaient plus rien ?

L'inspecteur songea soudain à ce que lui avait dit Élisabeth Fédine : l'élevage se trouvait sous la responsabilité d'un gardien. Sapristi, pourquoi ne l'avait-il pas encore interrogé ?

De l'immense élevage, il ne restait plus grand-chose et, sur les neuf bâtiments, un seul était encore occupé par les bêtes.

Le gardien, Grégoire, était un homme lent et taciturne.

Non, il n'avait aucune idée de ce qui avait pu causer la mort de son patron. Comment il était, le patron ?

Pas facile de caractère. Seuls les chiens comptaient.

Deux lévriers pointèrent leur fin museau par la porte pour observer le nouvel arrivant, mais sans aboyer.

– Je leur ai donné des médicaments pour les humains, expliqua Grégoire d'un ton soucieux, et il me semble qu'ils vont mieux.

– Cela fait longtemps que vous êtes gardien ici ?

– Je suis arrivé à quatorze ans, et j'en ai soixante-quatre, alors vous voyez…

– Vous avez donc connu Charles Fédine, et même son père.

– Son père ? Non.

– Ce n'est pas lui qui possédait l'élevage avant Charles ?

– Non. Il appartenait à son beau-père, le vieux Kosmas. L'élevage valait une fortune, en ce temps-là ! Nous avions tous les champions, les meilleurs d'un côté à l'autre de ce continent.

C'est vrai, songea Biely, on lui avait déjà dit que l'élevage était propriété de la première femme de Charles, la mère d'Irina et de Maximilien.

– Irina et Maximilien s'intéressaient aux chiens ? demanda-t-il.

Le vieux se ferma. Les noms d'Irina et de Maximilien étaient interdits, ici.

– Tout le monde s'intéressait aux chiens, répondit-il enfin d'un ton sec.

– Vous connaissez bien les bêtes ?

Grégoire haussa les épaules, comme si l'autre venait d'énoncer une énormité. Demande-t-on à un père s'il connaît ses enfants ? Il répondit tout de même :

– Cela va de soi.

Et une lueur passa dans ses yeux. Parler des chiens semblait le réveiller :

– De beaux chiens, ajouta-t-il, une belle écurie !

– Surtout les A, m'a-t-on dit.

– Ah oui… Autrefois. Les Fédine étaient fous de leurs chiens. Pour vous dire… lors des dernières invasions, il y a dix-sept ou dix-huit ans, quand tout le monde a fui sur les routes, Charles est resté. Il ne voulait pas partir sans ses chiens, et avec eux c'était impossible, car une femelle venait de mettre bas. Tétis, elle s'appelait, et les petits étaient encore trop jeunes pour supporter un voyage… C'était justement la lignée des A.

– Azale, Amazone, Aliocha…

– Anatole, Artis, Akar, Avallon. Il a pu les sauver en se cachant plusieurs semaines avec eux dans les bois. C'est sûrement pour ça que Charles tenait tellement à eux ! Amazone, surtout, Amazone était la favorite. Pas la plus rapide, non, mais une vraie déesse : fine, élégante, racée. Le vieux Charles refusait que quiconque y touche… Les chiens lui ont survécu et c'est Léopold qui a pris la suite. Il y tenait beaucoup aussi, et lorsque les bêtes sont mortes, l'une après l'autre, de vieillesse, Léopold les a enterrées de ses propres mains, tout seul, pour qu'on ne voie pas qu'il pleurait.

Biely crut que Grégoire allait essuyer lui aussi une larme.

– Les courses rapportaient beaucoup d'argent ?

– Je crois, lâcha Grégoire d'un ton méfiant.

– J'ai entendu dire que Charles était très riche…

Grégoire ne répondit rien.

– Vous savez quelque chose là-dessus ?

– Rien d'autre que les bruits. C'est le beau-père, Kosmas, qui était riche. On dit qu'il avait transformé ses gains aux courses en or, mais d'or, je n'en ai jamais vu.

– Parce qu'avant les A, il y avait eu d'autres champions ?

– Si les A étaient si rapides, c'est que leurs parents, leurs grands-parents, l'étaient aussi ! Autrefois, déjà… Enfin, c'est loin, tout ça. Si vous n'avez plus besoin de moi, je vais aller m'occuper des bêtes.

L'inspecteur Biely demeura un instant sans réaction. Il aurait aimé… Il venait juste de s'introduire dans un monde dont il ignorait tout et, soudain, il aurait voulu en savoir plus, comprendre. Mais pour pénétrer un monde nouveau, il fallait du temps. Peut-être s'achèterait-il un chien, après tout. Il l'appellerait… Amazone, pourquoi pas ?

Bon, on n'en était pas là. Seize enfants plus un chien…

Bah ! La petite bête ne tiendrait qu'un dix-septième de place !

L'inspecteur Biely contempla le petit médaillon en écorce posé sur son bureau. Il faudrait qu'il le rende à Soph… à Anouchka. Sophia, elle, était décédée d'une pneumonie à l'âge de cinq ans, et Olga n'en avait même pas avisé son frère Léopold, ce qui laissait pressentir quels liens étroits les unissaient.

Un fil de laine et un brin de paille, trésor de camp d'internement… Enfin, de rééducation. Souvenirs de sa mère, il l'aurait parié, parce que si cette affreuse aventure lui était arrivée à lui, il aurait enfermé dans son médaillon un morceau de laine de la robe de sa mère et un fétu du lit de paille où elle était morte.

Anouchka… Elle avait vu quelqu'un par la fenêtre, et lui avait fait signe qu'elle se tairait. Ce n'était qu'une supposition, mais il y croyait.

Son frère Ivan ?

Elle ne dirait rien… C'est donc qu'il y avait à dire. Que celui qu'elle avait vu avait quelque chose à se reprocher ? Le meurtre de Léopold, pourquoi pas ? Oui, pourquoi pas ?

Dans ce cas, les raisons étaient toutes trouvées : Ivan, si c'était lui, pouvait tuer son oncle Léopold pour se venger. Ce qui signifiait qu'il tenait l'oncle pour responsable des malheurs de sa famille.

Poursuivons : Léopold aurait tué Maximilien et exilé Irina…

Aïe ! N'oublions pas que Léopold n'avait pas de voiture.

Reprenons : la mort accidentelle de Maximilien aurait fait germer dans l'esprit de Léopold l'idée qu'il n'y avait plus, entre l'héritage et lui, que sa demi-sœur Irina.

Oui, mais quel héritage ? De l'or ? Caché dans la maison ?

Cela expliquerait l'aisance relative de Léopold Fédine, à qui les chiens ne rapportaient pourtant presque plus rien. Aisance, sans plus, comme l'avait souligné sa propre mère… Peut-être pour ne pas attirer les soupçons. Et puis l'or n'est pas inépuisable !

Oui, cela se tenait.

Une chose restait à vérifier : où se trouvait actuellement le jeune Ivan ?

CHAPITRE XIV

Des + et des –

it eu toutes les peines du monde à ule automobile du service, il avait n prétextant qu'il devait interroger nt sur la mort de Léopold Fédine. Enfin, ait pas tout à fait le terme exact, il ne pouvait simplement pas expliquer la complexité de la démarche qui l'amenait à enquêter sur Ivan Fédine… Non, Ivan Slavici. Ivan et Anouchka Slavici, du nom de leur père, naturellement.

La directrice de l'orphelinat accepta de le renseigner sur Ivan, en entrecoupant son discours de « Il n'a rien fait de mal, au moins ? » et en cherchant ses mots pour qu'ils demeurent anodins. Cela n'échappa nullement à Biely : il finit par lui dire que, bien sûr, il était de la police, mais que s'il cherchait Ivan, c'était uniquement parce qu'il était son cousin. Cela rassura la directrice.

– Ivan nous a quittés voilà de longues années déjà, expliqua-t-elle comme pour qu'on comprenne bien qu'elle ne pouvait pas tout se rappeler, et qu'on devrait donc excuser par avance ses omissions.

Par exemple, elle ne dit rien du caractère difficile d'Ivan – étant donné son histoire, elle en comprenait les raisons et avait toujours tenté d'arrondir les angles. Rien non plus de ces cauchemars affreux qui l'éveillaient toutes les nuits et requéraient de la part de la surveillante de garde beaucoup de patience et une solide santé. Elle ne parla pas davantage de son affection pour lui, de la pitié qu'il lui avait inspirée quand il était arrivé (il avait tenté de résister aux policiers qui emmenaient ses parents, et s'en était sorti avec le visage en sang). Elle ne dit rien non plus de sa douleur quand il était parti… En un mot, elle se limita aux données concrètes :

– Ivan a vécu ici jusqu'à ses douze ans, comme c'est la loi. Il a fréquenté notre école normalement – un élève plutôt brillant – et puis il a été mis en apprentissage.

– Savez-vous où ?

– Bien sûr, je sais où. Croyez-vous que nous ne nous intéressions pas à nos petits ? Il est parti apprendre la cordonnerie.

– Pouvez-vous me donner l'adresse de cet artisan chez qui il se trouve ?

– C'est que… cela ne servirait pas à grand-chose. Il s'est enfui deux ans plus tard, et on a perdu sa trace.

– Enfui… Vous voulez dire « parti » ? « Enfui » supposerait qu'il ait été considéré comme une sorte d'esclave…

– D'esclave ! souffla la directrice d'un ton offusqué, comme vous y allez ! Il s'agissait plutôt… comment dire… d'un contrat.

– De quel genre ?

– Écoutez, monsieur l'inspecteur, votre cousin a été élevé ici gratuitement, et la règle est que les jeunes qui sortent, remboursent l'éducation et les soins qu'ils ont reçus en reversant pendant un certain nombre d'années la moitié du salaire qu'ils perçoivent. Ne me regardez pas ainsi, c'est la loi, et ce n'est pas moi qui fais la loi.

– Vous voulez dire qu'actuellement on le recherche ?

– Oui. J'ai porté plainte pour le principe. Mais à mon avis, la police ne le recherche que mollement, les apprentis qui doivent de l'argent à leur orphelinat de tutelle ne sont pas sa priorité.

– Certainement, il y a des crimes plus horribles.

L'idée de crime ramena Biely à son souci. Il avait bien fait de ne pas parler à ses chefs du but réel de sa mission, car rechercher Ivan pour une faute plus grave qu'une fuite de chez son employeur ne l'emballait pas vraiment, et il aurait volontiers laissé tomber l'enquête. Après tout, avait-il vraiment envie de découvrir que le garçon était responsable de la mort de son oncle ? Il lui inspirait plus de compassion que de colère.

– Vous n'avez aucune idée de l'endroit où il se trouve ?

– Aucune.

– Que dit la demande de recherche ?

La directrice ouvrit un tiroir et en sortit un papier sur lequel était écrit : recherche jeune homme, dix-huit ans, blond-roux, petite cicatrice sur la mâchoire.

Anouchka n'écrirait plus. Si l'on interceptait ses lettres, ce serait trop dangereux. Elle n'était sûre de rien, mais elle craignait que Basile ne se trouve plus à l'adresse qu'il lui avait donnée. Et puis l'oncle Léopold avait été tué…

Et Ivan, où était-il ?

Elle se rappelait sa surprise en l'apercevant sur le bord du chemin. C'étaient ses incroyables cheveux blond-roux qu'elle avait remarqués en premier. Elle le croyait parti au loin.

Oncle Léopold avait arrêté la voiture et l'avait fait monter. Il avait été d'un naturel remarquable, il avait prétendu s'appeler Pierre, et il l'avait encouragée à se laisser appeler Sophia. Il avait même renchéri : « Sophia, c'est un joli nom, et il vous va comme un gant. Je suis sûr que c'est bien le vôtre. » Il avait raison, on n'est jamais trop prudent. Elle était certaine qu'aucun des gardiens du camp ne la ferait rechercher (sa situation avait été si illégale qu'il valait mieux pour eux ne plus en parler), mais elle n'avait pas tout mesuré, et en particulier pas Basile…

Ivan avait dit aussi : « Je n'ai qu'elle et elle n'a que moi. »

Elle pensait que c'était pour cela qu'il était revenu sur ses pas : pour lui assurer qu'il ne la laisserait pas tomber, qu'il ne partirait pas sans elle aux États-Unis, et il avait trouvé une idée formidable pour connaître exactement sa destination, en se faisant emmener par la charrette de l'oncle jusqu'à cette maison.

Depuis, elle ne l'avait pas revu, mais elle avait confiance. Ils avaient passé six mois ensemble, à courir les routes, depuis que Basile l'avait remise entre ses mains. Elle avait adoré avoir un grand frère, un grand frère qu'elle n'avait vu auparavant qu'une seule fois :

elle était jeune alors, il avait été autorisé pour ses douze ans, avant son départ en apprentissage, à revoir sa mère. C'est alors qu'il était venu au camp.

Ivan ! Elle en avait toujours gardé un souvenir émerveillé. Il n'avait eu le droit qu'à quelques heures de visite, et leur mère ensuite avait pleuré pendant des jours.

Irina, pense à moi. Ne m'oublie pas, Irina !

Anouchka s'essuya les yeux. Irina était bien là où elle était, mieux qu'au camp. Elle avait Dieu pour veiller sur elle, et tous les saints. Les saints ne donnaient jamais de coups de fouet qui marquaient la peau de longues traînées rouges et qu'on avait tant de mal à soigner. Il fallait trouver les bonnes plantes en allant chercher les moutons sur les collines où soufflait ce vent si glacial.

L'inspecteur Biely consulta la fiche qu'il s'était établie. Que l'administration se rassure, c'était écrit tout petit. Ce qui était d'ailleurs le plus indiqué pour qu'il soit le seul à pouvoir se relire. Plus il avançait dans cette affaire, moins il souhaitait découvrir le coupable. Il pressentait qu'il n'aurait aucun plaisir à devoir le traîner en justice. Seule la curiosité le motivait encore.

L'employé de la banque, il en faisait son affaire : c'était un ancien copain de classe, Serge, et de toute façon, les banques étaient tenues de collaborer avec la police.

– Le compte de Léopold Fédine ? demanda le blondinet qui paraissait deux ou trois ans de moins que son âge réel. Il faut que je consulte le registre des entrées et des sorties, mais n'en espère pas trop : les coffres sont secrets, on ne sait pas ce qu'ils contiennent.

– Aucune idée ?

– Non. Sauf que...

Biely interrogea son ami du regard. Celui-ci souffla :

– On sait si le client fait un dépôt ou un retrait. Ce n'est pas très légal, mais c'est une mesure de prudence.

– Comment vous y prenez-vous ? chuchota Biely.

– On a un petit regard, une ouverture secrète sur la salle des coffres.

Oui, comme entre son bureau et celui de Pavic.

– Et alors ?

– Et alors, on note un petit + ou un petit – sur le registre en face de l'opération.

– Quel genre de chose mettait-il au coffre ?

– Pas énorme. Il s'arrangeait pour tout avoir dans les poches de son manteau et le déposait en plusieurs fois, rapidement, sans que jamais on puisse rien distinguer. Je me demande s'il n'était pas au courant, pour le regard. Personne ne sait rien, mais on vote tous pour des pièces d'or.

Serge retourna le registre qu'il tenait ouvert devant lui, de manière à présenter la page « Fédine » à Biely.

Les opérations n'étaient pas extrêmement nombreuses.

– As-tu remarqué ? murmura Serge.

– Quoi ?

– Depuis trois ans, il n'y a eu aucun +, que des –.

– C'est vrai. Les + se situent…

– … dans un laps de temps assez court, sur quatre années seulement. Cinq dépôts sur quatre années. Voilà les dates.

Biely considéra les chiffres. Oui, peu de dépôts, mais importants sans doute, car ensuite s'étalaient régulièrement des –, et pendant longtemps.

« Je n'ai jamais vu d'or », avait dit Grégoire, et pourtant, il y en avait certainement. D'où venait-il ? Mystère. Avant de se trouver dans le coffre, il arrivait bien de quelque part ! Il faudrait vérifier s'il provenait de la vente de chiens à ces dates. Sinon, cela pourrait venir de l'héritage de Charles, qui aurait réellement possédé cette fortune dont on parlait.

Hum… Dans ce cas, comment expliquer que le dépôt à la banque ne se soit fait que petit à petit ?

Pour ne pas attirer l'attention ? Voyons... Léopold avait cet or, il avait peur de le conserver chez lui, mais ne voulait pas qu'on connaisse sa fortune. Alors, il le déposait petit à petit.

Peut-être.

Tante Élisabeth avait le visage rouge et gonflé, elle avait pleuré toute la nuit. Sa petite Nini les avait quittées. C'est vrai qu'elle était vieille, fatiguée, elle s'était éteinte comme une chandelle, juste parce que c'était son heure. Dans ses yeux, il n'y avait aucune souffrance, aucune peur. Elle avait léché une dernière fois sa main, elle avait cligné des yeux, comme pour dire adieu, et puis son regard s'était voilé.

Élisabeth ne pouvait s'arrêter de renifler. C'était fou, c'était comme si elle avait plus de peine pour la mort de la chienne que pour celle de son mari. Et dire qu'elle s'était permis de faire la même remarque à Léopold concernant la mort d'Olga !

Il aimait tellement ce chien, lui aussi... Oui, la mort de Nini lui apparaissait soudain comme la rupture totale avec son ancienne vie, celle qu'elle avait vécue avec Léopold, celle qu'elle avait vécue avec Nini (car il lui semblait qu'elle avait mieux compris Nini que Léopold).

Bien sûr, elle ne dirait cela à personne.

Demain, elle enterrerait Nini et tout un pan de sa vie. Elle lui ferait une tombe au fond du jardin, elle y mettrait une plaque de bois, avec son nom gravé.

Élisabeth sortit de la pièce et descendit à la cave chercher une planche dure et lisse qui ne pourrirait pas à la pluie, qui ne craquellerait pas au soleil. Elle s'arma d'un petit couteau de cuisine et commença son travail.

Curieusement, cela coupa ses larmes, et c'était heureux, car Sophia venait de pénétrer dans la pièce. Elle ne voulait pas que cette petite puisse penser, remarquer, qu'elle avait plus de chagrin pour Nini…

Sophia alla vers la chienne, lui caressa la tête avec douceur et tristesse, puis elle s'approcha de sa tante et s'assit sur le tabouret auprès d'elle.

– Vous préparez une plaque pour sa tombe ?

Là-bas, au camp, on gravait aussi les noms sur du bois, mais pas du bois aussi beau que celui-ci. Elle regarda travailler les doigts de la grosse femme, et ses yeux s'agrandirent de surprise :

– Mais ma tante, n'est-ce pas Nini qu'elle s'appelle ?

– Si… Si, on l'appelait Nini mais son vrai nom, c'était Amazone.

CHAPITRE XV

Un barzoï nommé Amazone

Anouchka suivit des yeux sa tante qui s'éloignait sur le trottoir. Elle avait l'air abattu, elle faisait pitié à voir.

La neige ne tombait plus depuis un bon moment et, sur la chaussée, elle se transmuait maintenant, comme par mauvaise sorcellerie, en une boue infecte qui s'agglutinait de chaque côté en longs tas d'un gris sale.

Un homme franchit l'amas spongieux d'un bond, un jeune homme. Un jeune homme d'un blond un peu roux.

Ivan !

Anouchka courut à la porte et ouvrit.

– Entre vite ! Tante Élisabeth est partie au cimetière.

– J'ai vu, dit Ivan en la serrant contre son cœur. (Il posa un baiser dans ses cheveux). J'ai attendu son départ.

Anouchka entoura de ses bras la taille de son frère, posa un instant sa joue contre sa poitrine. Il était beaucoup plus grand qu'elle, et fort. Comme c'était bon qu'il soit là !

– Elle en a au moins pour deux heures, ajouta-t-elle.

– Je sais, il y a longtemps que je la surveille : elle fait toujours comme ça. Comment vas-tu, petite fleur ?

– Bien. Ici, tu sais, je suis toujours Sophia. Léopold est mort, et j'ai peur qu'on ne découvre quelque chose, qu'on puisse remonter jusqu'à…

Elle fronça les sourcils, son visage prit une expression tourmentée, elle fixa son frère dans les yeux.

– Ivan, demanda-t-elle, sais-tu qui a tué oncle Léopold ?

– Qui veux-tu ?

Anouchka détourna les yeux :

– C'est lui, hein, c'est Basile.

Comme Ivan ne répondait pas, elle observa :

– Je l'ai toujours su au fond de moi. Je l'ai vu deux ou trois fois rôder par ici. La dernière, c'était depuis le bureau de l'inspecteur de police. Je lui ai fait signe que j'avais compris et que je ne dirais rien.

– Attends… Comment a-t-il su que tu étais ici ?

– Je lui ai écrit. C'était convenu entre nous. Basile,

tu sais, c'est un peu comme mon père. Toi, bien sûr, tu ne le connais pas beaucoup, tu ne l'avais jamais vu avant l'été dernier.

– Si, Anouchkina, si. Une fois : le jour où j'ai eu l'autorisation de rendre visite à maman, pour mes douze ans, tu te rappelles ?

– Bien sûr. Tu crois que j'aurais pu oublier ?

Ivan ramena en arrière les longs cheveux de sa sœur.

– J'étais tellement triste ce jour-là, dit-il, et tellement ému. Et tellement révolté aussi ! Et tellement heureux de découvrir que j'avais une petite sœur ! Je me rappelle, maman t'apprenait à écrire avec ton doigt sur la poussière de la cour. J'ai revécu toute la scène mille fois, c'était mon cinéma. Quand je me suis enfui de chez le cordonnier, j'ai tenté de retourner là-bas pour essayer quelque chose, de vous approcher. Je voulais échafauder un plan pour vous faire évader, et je n'ai réussi à rien, même pas à retrouver le camp. On m'y avait emmené sans rien me dire, et surtout pas son nom. Je savais seulement que c'était loin. Trois ans, tu imagines ? J'ai mis trois ans à repérer l'endroit. Deux mois ensuite pour parvenir à faire passer un message en lançant un papier lesté par un caillou. Les chiens l'ont reniflé, et j'ai eu peur, et puis ils sont partis.

– Maman était tellement heureuse d'avoir des nouvelles, mais tellement inquiète aussi.

Pour la première fois, sa mère voyait une solution pour Anouchka : il fallait qu'elle s'enfuie, qu'elle retrouve son frère dans ce village de l'autre côté de la colline, qu'ils aillent tous les deux chez Olga. « Olga me doit bien ça. »

Pourquoi ? Parce que c'était sa sœur… Ou bien y avait-il une autre raison ?

Elle n'avait pas voulu partir, parce que sa mère était mourante. Elle ne la quitterait pas. Ensuite…

– Ivan, pourquoi Basile a-t-il tué notre oncle ?

– Tu ne le sais pas ? Vraiment ?

– Est-ce que c'est Léopold qui…

– Bien sûr, c'est Léopold qui avait dénoncé nos parents, ça ne pouvait être que lui. Basile, ça le rongeait. Je le sais, je l'ai vu souvent cet été, puisqu'il travaillait aux champs. C'est là que j'arrivais à lui faire passer les messages, en me glissant tout le long d'un grand fossé, jusqu'au bord du champ. Lui, il venait à midi, pour manger son pain, appuyé à la première rangée de barbelés. Nous ne nous regardions jamais, par prudence, mais nous nous parlions beaucoup, c'est par lui que j'ai su le plus de choses. Je suis sûr qu'il était amoureux de maman.

– Je crois , oui.

– Il ne pouvait pas supporter l'idée de ce qu'on lui avait fait. Il en était fou, et sa mort n'a fait que renforcer en lui une volonté de vengeance.

– Alors, c'est ça qu'il lui avait juré ? Il avait juré de la venger. Il disait : « Toute cette souffrance se paiera. » Elle, elle ne voulait pas. Elle voulait seulement que je m'enfuie, rien d'autre. Qu'est-il arrivé à Basile ? Est-ce qu'il risque…

– Je l'ai vu, ne t'inquiète pas pour lui, il a déjà passé la frontière.

– Tu sais, maman ne m'a jamais rien dit sur Léopold, ni sur Olga. Je crois qu'elle préférait que je ne sache pas. Elle disait que la haine ne fait que ronger et ne répare jamais rien.

– Elle avait peut-être raison, mais ça n'empêche… On ne peut pas arrêter ce qu'on porte en soi. À moi non plus, elle n'a rien dit. Enfin, rien de précis sur Léopold, ni sur Olga. Uniquement sur…

Anouchka regarda son frère.

Il ne poursuivit pas. Il songeait à autre chose.

– Mais Olga, se reprit-il soudain, s'est dénoncée toute seule.

– Tu veux parler de ses yeux effrayés quand nous sommes arrivés ?

Ivan hocha la tête.

– Tu crois qu'elle était pour quelque chose dans la dénonciation ?

– J'en suis sûr, Anouchka ! Sûr ! Elle était complice de son frère. Ou au moins elle n'avait pas protesté. Tu te rappelles le délabrement de la ferme ? À mon avis, elle se dégoûtait elle-même, elle n'avait plus envie de rien. Apparemment, elle buvait. Aussi, quand j'ai prononcé notre nom, ça a été comme si l'enfer s'ouvrait sous ses pieds.

Anouchka hocha la tête. Oui, l'enfer, c'est ce qu'il y avait dans les yeux de la tante Olga.

– Tout cela est fini, Anouchkina. On va partir très loin, aux États-Unis d'Amérique !

– Tu as gagné l'argent ?

– Pas encore la totalité. Trouver du travail en ce moment n'est pas facile, tu sais.

– Ivan…

– Oui ?

– Tu as dit tout à l'heure que maman t'avait confié quelque chose. À propos de quoi ?

– À propos de… de l'héritage de ses parents. Des chiens.

– Des chiens ?

– Oui, des chiens dont le nom commençait par A.

– Qu'avaient-ils de particulier ?

– Une très grande valeur. Les A avaient une très grande valeur ! Mais ils sont sûrement tous morts, maintenant : les A, ça remonte à… dix-sept ans.

Anouchka fixa son frère avec intensité.

– Ivan, dit-elle, hier soir la chienne de la maison est morte. De son vrai nom, elle s'appelait Amazone.

Les dates des dépôts d'or correspondaient-elles à des ventes de chiens ? L'inspecteur Biely le saurait : le chenil se devait de tenir un registre des transactions.

La vente d'un chiot pouvait-elle apporter un bénéfice tel qu'on ait besoin de le transformer en or et de le mettre au coffre ?

Quelques aboiements l'accueillirent au chenil, assez pour alerter Grégoire qui sortait des boxes la paille souillée. Près de la porte du bâtiment attendait un tas de paille fraîche.

Grégoire ne fit aucun commentaire sur l'arrivée de la police en la personne de cet inspecteur qui voulait fouiner partout, mais sa façon de s'essuyer lentement les mains au chiffon qui pendait à sa ceinture pouvait se traduire par : « Encore ! »

Il écouta l'inspecteur avec une patience exagérée.

– Le registre des ventes ? soupira-t-il enfin en songeant que ce Biely avait vraiment du temps à perdre, il est là.

Sans se donner la peine d'accompagner l'inspecteur, il désigna, sur le bureau de la petite pièce contiguë, un gros cahier ouvert.

L'inspecteur remonta dans les dates qu'il avait relevées sur le registre de la banque. Des ventes de chiots, il y en avait chaque année une vingtaine. Le prix était indiqué en face, et représentait de quoi vivre une semaine ou deux… À peine, car il fallait retirer les frais de chenil, la paille, la nourriture, le chauffage en hiver des femelles et de leurs petits, le salaire de Grégoire, etc.

L'or ? Il pouvait difficilement avoir un rapport avec ces ventes.

Grégoire ayant déjà disparu du côté des chiens, l'inspecteur ne put lui en toucher un mot. Il referma le livre, et c'est alors qu'il remarqua un autre livre, sur l'étagère. Un beau volume couvert de cuir, où tout était soigneusement calligraphié.

C'était une sorte de registre d'état civil pour chiens. Les lignées étaient indiquées, les naissances, le nom des parents, à qui les chiots avaient été vendus, les décès…

Pris d'une curiosité subite, l'inspecteur chercha la lignée des A.

Voilà : mère Tétis, père Soliman.

Azale, Artis, Anatole, Amazone, Akar, Aliocha, Avallon…

Aucun vendu, Grégoire avait dit vrai. Tous morts au chenil qui les avait vus naître. Ils avaient alors… entre dix et quatorze ans, un âge normal pour mourir quand on est chien.

L'inspecteur fixa soudain la page avec ahurissement : les dates de décès des chiens, entre trois ans et sept ans auparavant, correspondaient avec les dates de dépôts de Léopold Fédine à la banque. Il en resta stupéfait. Fédine avait-il vendu la dépouille de ses chiens ? Les avait-il fait empailler ? Des chiens morts pouvaient-ils avoir une valeur de collection ?

Les A, Fédine les avait « enterrés de ses propres mains ». Où ?

Grégoire lui indiqua l'endroit, au fond de la vaste cour.

Il y avait effectivement là des plaques gravées, qui marquaient l'emplacement de chaque tombe. D'un côté de la cour, des noms inconnus, sauf Tétis, de l'autre les A, les enfants de Tétis. Fallait-il creuser pour vérifier la présence des dépouilles ? Bah ! Ça ne lui disait vraiment rien… Et puis pour quel résultat ? Est-ce que tout cela avait vraiment un rapport avec la mort de Léopold Fédine ?

Eh !… Mais il n'y avait que six tombes pour sept chiens !

Azale, Artis, Anatole, Akar, Aliocha, Avallon…

Amazone ! Amazone n'était pas morte !

L'inspecteur fila trouver Grégoire, qui n'eut qu'une petite grimace :

– Amazone est morte… hier au soir, chez les Fédine.

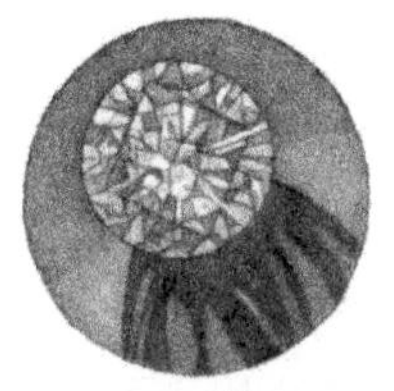

CHAPITRE XVI

Le jeune homme aux cheveux roux

L'inspecteur rencontra dans le couloir des bureaux un jeune homme qu'il n'avait jamais vu. D'habitude, les étrangers à ces services de police paraissaient toujours un peu empruntés, souvent impressionnés, en tout cas mal à l'aise. Lui pas.

– Bonjour ! lança-t-il même à Biely, avec néanmoins un petit sourire déférent.

Puis il s'approcha franchement pour lui serrer la main.

– Je suis l'inspecteur Komensky, je viens d'être nommé ici pour remplacer l'inspecteur Pavic qui part bientôt en retraite.

– Ah ! Bonjour. Bienvenue dans nos murs.

– Je vous guettais. J'ai souhaité vous rencontrer

tout de suite, car je sais que c'est vous qui menez l'enquête sur la mort de Léopold Fédine. C'est bien cela ?

– Oui, répondit Biely d'un ton un peu méfiant.

– Je voulais vous informer que j'ai rencontré hier, dans cette ville, un ancien camarade d'école, Ivan Slavici.

– Ah ! Je croyais qu'Ivan Slavici avait été élevé à l'orphelinat.

– Oui, mais l'école était commune à l'orphelinat et au pensionnat où j'ai fait mes études.

– Donc, reprit Biely avec circonspection, vous avez vu Slavici...

Voilà qui l'ennuyait terriblement, et qui mettait à l'édifice de sa suspicion une pierre de plus sur la culpabilité possible d'Ivan dans le meurtre de son oncle. Pourtant, si le responsable était bien Ivan, ce serait pour une raison... qu'il ne pouvait vraiment excuser en temps que policier, mais qu'il comprenait.

– J'ai vu Slavici, reprit Komensky, il est recherché pour s'être enfui de chez son maître d'apprentissage, et nous devons l'arrêter.

Encore un jeune frais émoulu qui veut faire du zèle, songea Biely.

– Et comme son oncle vient d'être assassiné, poursuivit le jeune inspecteur, j'ai pensé qu'il pouvait bien y avoir un rapport entre la présence d'Ivan ici et ce meurtre.

– Quitter son employeur, même illicitement, est une chose, tuer en est une autre.

– Mais qu'il se trouve justement dans la ville est tout de même intéressant, non ? Ivan pourrait bien être coupable, vous devriez étudier cette piste.

– Je ne vous ai pas attendu pour l'étudier, et ce ne sont pas pour l'instant mes conclusions, mentit effrontément Biely.

– Eh bien, poursuivit Komensky, comme vous devez de toute façon l'arrêter pour sa fuite, vous pourrez en profiter pour l'interroger !

De quoi se mêlait-il, celui-là ?

– J'ignore où il se trouve, la ville est grande !

– Je l'ai vu il n'y a pas une heure, il rôdait autour de la maison de son oncle.

Biely ne pouvait pas reculer... Et puis tant pis ! Après tout, c'était son métier : il devait arrêter Ivan, enquêter sur son éventuelle culpabilité. Peut-être le garçon n'était-il pour rien dans la mort de son oncle et, dans le cas contraire, s'il passait en jugement, il lui obtiendrait les circonstances atténuantes.

L'inspecteur Biely cracha son chewing-gum dans la poubelle et ressortit.

– Ne regarde pas, si tu veux, souffla Ivan.

– Je ne suis pas impressionnable. Nini est morte, elle ne sent plus rien. J'ai assisté maman quand elle opérait des êtres vivants et, la plupart du temps, on devait le faire sans chloroforme. Moi, je leur donnais un morceau de bois pour qu'ils mordent dedans s'ils avaient trop mal, et puis je leur caressais le front tout le temps de l'opération, et je leur chantais…

Tout en passant doucement la main sur la tête d'Amazone, elle se mit à fredonner à voix basse un chant des vastes plaines, qui disait la dureté de la vie des hommes qui marchaient les fers aux pieds, l'éclosion des buissons de roses sauvages dans la steppe, les scarabées d'or et les tempêtes de sable. Alors Ivan saisit son court poignard, incisa la peau de la chienne sur le côté du ventre, là où Anouchka avait senti le premier jour une masse dure, et extirpa un caillou brillant. Un diamant de la taille d'une petite pêche.

Ils demeurèrent sans rien dire, à le contempler.

– Notre grand-mère avait hérité celui-là de ses parents, déclara alors Ivan, et beaucoup d'autres, venus des temps de gloire où les lévriers étaient très en vogue, coûtaient très cher, et gagnaient beaucoup de courses.

– C'est incroyable, chuchota Anouchka. Comment se trouve-t-il là ?

– Lorsque le pays a été envahi, peu après ma naissance, tout le monde a fui, sauf Charles Fédine. Lui a refusé de partir, car il n'aurait pas pu emmener ses chiens. Son problème était qu'il fallait dissimuler les diamants. Où ? Il était vétérinaire, il avait l'habitude d'opérer les chiens… La portée des A, c'est la solution qu'il a trouvée. Il a endormi les chiots, fait une toute petite incision, et glissé dans le ventre de chacun quelques diamants. Amazone a reçu le plus gros.

– Maman était au courant de cela ?

– Bien sûr : c'est elle qui me l'a dit. Les quatre enfants de Charles le savaient.

– Maximilien, murmura Anouchka comme pour elle-même, Irina, Léopold, Olga…

– À la suite de la mort de Maximilien, reprit Ivan, c'est Irina qui devait hériter des chiens, puisque tous les diamants venaient de sa mère. Léopold ne l'a pas supporté, je suppose.

– Maman ne me l'a pas dit.

– Tu étais encore jeune, et elle avait peur pour toi. Elle voulait qu'on oublie cette histoire. Si tu l'avais su, tu aurais pu soupçonner comme elle Olga et Léopold. Or ils étaient la seule famille qui te restait, et elle voulait se persuader qu'ils n'étaient pas coupables, ou au moins qu'ils avaient des circonstances atténuantes, et même des remords. Elle voulait qu'ils te prennent en charge quand elle ne serait plus là. Et puis, elle croyait tous les chiens morts et les diamants liquidés.

– Pourtant, Léopold n'a jamais récupéré ce diamant !

– Pour les autres diamants, je ne sais pas, mais cela m'étonnerait beaucoup qu'il ait laissé enterrer les chiens avec. Pour celui-ci… Il n'en avait peut-être pas un besoin urgent.

– Léopold n'était pas vétérinaire, dit soudain Anouchka. En voulant reprendre le diamant, il aurait pu causer la mort de Nini. Peut-être a-t-il eu envie de tenter, mais il ne s'y est jamais résolu. Les chiens, c'est ce qu'il y avait de plus important pour lui. Il n'aurait pas voulu tuer Nini, même si elle était vieille et fatiguée.

– Il tenait aux chiens plus qu'aux gens, apparemment ! J'espère qu'aujourd'hui, il brûle dans les flammes de l'enfer.

Les yeux d'Ivan s'étaient faits durs. Il regardait au loin. Puis il secoua la tête comme pour se moquer de lui-même, sourit à Anouchka et, posant le diamant sur sa paume :

– Voilà notre héritage, dit-il. Voilà notre avenir, petite sœur, et, pour commencer, notre billet pour les États-Unis. Partons.

– Attends, Ivan, je ne peux pas m'en aller ainsi... Pour tante Élisabeth, tu comprends ?

Anouchka monta en courant dans sa chambre, se saisit de sa vieille robe de laine et la mit dans son sac. Puis elle sortit une feuille de papier et son morceau de charbon, s'assit à sa table et écrivit :

« Ma chère tante, je vous remercie pour votre gentillesse et tout ce que vous avez fait pour moi. J'ai retrouvé mon frère et je m'en vais avec lui. Excusez-moi de partir si vite. Ne vous faites aucun souci pour moi. »

Elle hésita longuement puis, finalement, elle signa : « Sophia. »

L'inspecteur Biely triturait le médaillon en écorce qu'il avait toujours au fond de la poche. Il tournait le coin de la rue, lorsqu'il aperçut deux silhouettes, une grande et une petite, qui quittaient la maison Fédine. De là où il était, il ne pouvait savoir de qui il s'agissait.

Une fraction de seconde, il songea à courir, mais il se sentait soudain les jambes lourdes, et une espèce de crispation dans le ventre qui paralysait toute décision. Au lieu de presser le pas, il le ralentit. Il suivait des yeux les deux individus qui s'éloignaient rapidement vers le bout de la rue. Le grand avait des cheveux flamboyants. Il tenait par la main le petit, vêtu d'un manteau trop vaste, et qui pressait le pas pour se tenir à son niveau.

– Je les ai ratés, soupira l'inspecteur. Enfin, je peux les attendre, sans doute qu'ils vont revenir.

Il monta jusqu'au perron et frappa à la porte. Personne ! Il appuya sur la poignée… C'était ouvert. Il entra.

Dans le salon, près du feu qui végétait, le grand chien était allongé. Grégoire avait raison, Amazone était morte. Personne ne l'avait bougée de sa place favorite. Pourtant… Là, cette trace rouge… L'inspecteur souleva la patte déjà raide. Sur le côté du ventre, il y avait une incision.

L'inspecteur sortit distraitement un chewing-gum de sa poche. Léopold Fédine avait enterré les chiens de ses propres mains. Avant leur avait-il fait une petite incision comme celle-ci ? Évidemment, oui. Qu'y avait-il là ? De l'or ?… En tout cas quelque chose de petit, avec beaucoup de valeur.

Diamant ? Bien possible. L'héritage des Fédine, celui pour lequel on avait sacrifié des vies, mais pour lequel Léopold Fédine n'avait pas voulu sacrifier ses chiens puisqu'il les avait laissés mourir de mort naturelle. Dans tout homme, on peut trouver quelque chose de bon.

Peut-être...

Peut-être que c'était une manière de se racheter, d'étouffer les remords, de leur mettre un oreiller sur le visage pour qu'ils ne crient pas trop fort.

Il reposa la patte de la chienne. L'incision se referma. Les derniers des Fédine... Ils avaient repris leur héritage.

L'inspecteur Biely demeura là, tout pensif, à manipuler dans sa poche le médaillon de bois. Un médaillon, c'est un souvenir mais, les souvenirs, cela fait souvent plus de mal que de bien. Il allait le garder, lui, le souvenir. Parce qu'à lui, cela n'évoquerait que du bien.

Il descendit lentement les marches du perron et s'arrêta dans la cour. Il sortit de sa poche la fiche marquée « Léopold Fédine », l'appuya solidement sur sa main gauche, et inscrivit au-dessous : *crime de rôdeur*.

TABLE DES MATIÈRES

Évelyne Brisou-Pellen

Elle est née en Bretagne et, hormis un petit détour par le Maroc, elle y a passé le plus clair de son existence. Elle a un mari, deux fils et un chien. Après des études de lettres, elle a écrit d'abord pour la presse (Bayard), avant de passer très vite à l'édition. Un jour, elle confie un manuscrit aux éditions Nathan…

Elle aime les histoires étranges, mystérieuses, peut-être parce qu'elle est née en terre de légendes. Elle aime créer des atmosphères envoûtantes, des aventures pleines d'émotion et de rebondissements, des personnages à la fois proches et déconcertants.

Telle est l'héroïne de *L'héritage d'Anouchka*.

Du même auteur :

AUX ÉDITIONS NATHAN

Le jongleur le plus maladroit
Un cheval de rêve
Un piège pour Iphigénie

CHEZ D'AUTRES ÉDITEURS

« Ysée » (série), Bayard
« Le Manoir » (série), Bayard
Un si terrible secret, Rageot
« La tribu de Celtill » (série), Rageot
Le signe de l'aigle, Casterman
« Les protégées de l'empereur » (série), Pocket
La Maison aux 52 portes, Pocket
Le fils de mon père, Hachette
Deux graines de cacao, Hachette
Le dernier espoir de Lucas, Millefeuille
La bague aux 3 hermines, Milan
Les disparus de la malle-poste, Hachette
Le mystère Éléonor, Gallimard
« Garin Trousseboeuf » (série), Gallimard
« Les messagers du temps » (série), Gallimard
La cour aux étoiles, Rageot
Les cinq écus de Bretagne et Les portes de Vannes, Hachette
Romulus et Rémus, Pocket
La vengeance de la momie, Hachette
Une croix dans le sable, Hachette
L'année du deuxième fantôme, Hachette
De l'autre côté du ciel, Gallimard

Miles Hyman

Influences

Un petit peu de tout et (selon le moment) n'importe quoi. Regarde beaucoup la peinture, la photo, le cinéma mais aussi les étiquettes de boîtes de sardines, les timbres-poste, les vieilles cartes postales, etc. Et puis surtout se laisse influencer par ses amis et le travail qu'il voit tous les jours.

Amours

Le papier, faire du vélo dans Paris, les restaurants indiens.

Haines

Les jeux à la télévision, les mobylettes ; depuis toujours, la noix de coco…

Parcours

Études de peinture dès l'âge de quatorze ans aux États-Unis ; puis de la gravure, du dessin. En 1985, s'installe en France et crée des petites histoires illustrées en noir et blanc ; premier livre publié en 1987 chez Futuropolis (*L'homme à deux têtes*). Depuis, beaucoup de plaisir à exercer ce métier, aux États-Unis, sous les formes les plus diverses – livres, presse, publicité, affiches, étiquettes, etc.

Envies

Passer l'été au bord de la mer…

N° éditeur : 10201080 – Dépôt légal : juin 2013
Achevé d'imprimer en octobre 2013 par Bussière
(18200 Saint-Amand-Montrond, France)
N° d'impression : 2005288